中国人的名利观

《中国人》丛书

马以鑫 著

上海古籍出版社

《中国人》丛书

中国人的名利观

马以鑫　著

上海古籍出版社出版

（上海瑞金二路 272 号）

新华书店上海发行所发行　　上海申光制版彩印厂印刷

开本 850×1156　1/32　插页 5　印张 6.125　字数 155,000

1997 年 10 月第 1 版　　1997 年 10 月第 1 次印刷

印数：1-8,000

ISBN　7-5325-2308-X

G·105　定价：9.80 元

总　序

余秋雨

"中国人"这个称呼,现在大家叫惯了,以为自从地球上有了中国这么一个地方,产生了这么一种人,就自然而然地叫下来了。其实并不是那么简单。

"中国"这个词早就出现在西周,内涵几经变化。秦汉以后,历朝虽不以"中国"为国名,但大体上又都以"中国"通称。由于民族众多,战乱频仍,经常出现对峙双方都把自己说成"中国",把对方说成夷狄的情形,如南北朝和宋金时期都是如此,当然最后大家终于尽力兼容互包到这个概念里边了。但是,这还只是在内部进行着名号上的争夺和调整,真正严格意义上的"中国"概念,只能在国际关系中确定。如果说,一个朝代一个朝代的排列体现了时间上的纵向关系;那么,一个国家一个国家的排列则体现了国际间的横向关系。中国古代,纵向关系远远强于横向关系,因此很难有明晰的、整体意义上的"中国"概念。直到清代,边界吃重,外交突现,"中国"才以一个主权国家的专称出现在外交文书上。

同样的道理，"中国人"这一概念在整体上的明晰化，也应该是在与不同属类的人的较大规模地遭遇之后。使之明晰化的光亮，可能来自于外国人看中国人的目光，也可能来自于中国人在了解外国人之后所作的比较和反思。总之必须出自人与人的群体性、近距离对照，而不是两种文明在商品、器物、艺术上的交流和个别旅行家的传奇见闻。据我披阅所及，明清时期欧洲来华的几批耶稣会传教士的书简，1793年英国马戛尔尼访华使团的记录，是较早由西方人士探视中国人的书面材料，后来值得注意的便是一些西方人类学家研究中国人体质形貌特征的科学论文了。在中国方面，把"中国人"当作一个独立的题目进行剖析而产生影响的，有辜鸿铭、林语堂、柏杨、项退结等人，而其他许多现代历史学家、社会学家、文化人类学家在进行比较研究时也都或多或少地涉及到了这个题目。

我本人对"中国人"这个概念产生震动性的反应，是在翻阅一批美国早期漫画的时候。这批漫画由长期关注美国西部开发史的胡恒坤先生收藏，几年前在香港三联书店出版。漫画是十八、十九世纪美国报刊杂志不可缺少的一种报道形式，因此也就留下了中国人从在美洲立足谋生开始的种种经历。画家是美国人，因此对中国人的体型面貌和生活方式产生强烈的好奇，画得既陌生又夸张。随着美国排华浊浪的掀起，漫画中的中国人形象越来越被严重丑化，丑化成异类，丑化成动物；不仅形象恶劣，而且行为举止也被描写得邪恶不堪。而这,恰恰正是当时许多美国白种人心目中的中国人。这种漫画作为一种形象化的文化判断,既是排华浊浪的结果,又反过来起到了推波助澜的作用。看着这样的漫画,与读柏杨先生痛快淋漓地对中国人进行自我解剖时的心境完全不同。这是因为,这样的漫画本身就是异族对中国人的放肆践踏,而柏杨先生则是以自己人的身份重话警策,以免继续遭受旁人践踏。

我一边翻着那些被画得不忍卒睹却又依稀相识的面容,一边读着历史学家唐德刚先生的《清季中美外交关系简史》和《书中人语》等著作,不能不一再地遥想被唐德刚先生呼唤过的"我先侨的在天之灵":你们究竟在哪些方面使西方人害怕了、讨厌了?你们究竟又在哪些方面与遥远的祖先和今天的我们一脉相承?

这就躲不开"中国人"这个隐潜着不少历史感情的概念了。历史感情又与现实思考联结着,因为在世纪之交,文明与文明之间的共存和对峙就在眼前,而任何一种文明的基础,都是群体人格。那么,中国人,你从哪里来?又到哪里去?

在十九世纪与二十世纪之交,这个问题也被认真而痛切地思考过。但是那些思考往往不是情绪太激烈,就是学理太艰深。更严重的是参与者太少,明明在讨论中国人而绝大多数中国人却并无知觉,致使思考从深刻沦为低效。这次世纪之交,至少应该让更多普通的中国人一起投入有关自己的思考吧。

相信会有宏著巨论出来，但论著再好，也代替不了群体投入。因此，应该有很多普及性的读物出来，加以推动。

上海古籍出版社的《中国人》丛书便是这样的读物。

为了面向广大普通读者，丛书摆脱了枯燥的学理形式，以随笔式的自由，一题一篇地娓娓而谈。渐渐谈成一个大问题便汇拢成书，拆开来读又各自成篇。虽然谈得轻松，但涉及的内容却未必是一切专家学者都容易驾驭的，因此这套普及丛书其实也可算是学术小丛书。从最低限度论之，它开辟了话题，开辟了素材，足以滋养和启发更深入的研究计划。

思考可以有多种态度，人类学和文化学的思考最好是平心静气。为此，丛书的风格追求温厚随和，避免过于感情用事，过于偏激极端。由于不必纳入整饬严密的结构，立论的弹性很大，有时甚至以不修边幅的形态出现。试想，面对一个庞大群体的多种难题，怎么能轻易地找到一条严谨的道路以通达简明的结论呢？不如以一种开放结构，闲散谈去，使一切读者也感受到加入交谈的极大可能。估计丛书中的每一本书都不会有简单结论，参与了梳理，参与了反省，参与了共同解剖，然后增长一分作为中国人的自觉性，这比什么结论都更有意思。

是为序。

1997 年 4 月 25 日晨

目　　录

小　引

　　"人过留名,雁过留声";"人为财死,鸟为食亡";"不得留芳百世,也要遗臭万年";"争名于朝,争利于市"……诸多的俗语、格言,留传千百年。可见,名与利在中国人的心中,有着多么重要的地位。

　　还在秦王朝末年,农民起义领袖陈胜被逼造反。他的说法是:"今亡亦死,举大计亦死,等死,死国可乎?"那么,死也不能白死、莫名其妙地死、冤哉枉也地死,陈胜终于吐露出他的心声:"戍死者固十六七,且壮士不死即已,死即举大名耳!"(《史记·陈涉世家》)

　　原来,死了能成就"大名",也就心甘情愿,不枉来人世一遭了。

　　初读此段,颇为疑惑。一个干力气活的农民,怎会有此念头?成"名",还是"举大名",陈胜竟会如此挂怀?不过,陈胜绝非等闲之辈,司马迁早就交代,他有过"燕雀安知鸿鹄之志"的自信与嘲讽,也有过"苟富贵,无相忘"的劝勉与告诫。可见,早在二千多年前,成"名"、成"大名",已是陈胜式人们的追求。

　　问题又来了。榜上题名、青史留名、口碑传名……究竟什么才是真正的名呢?庄子有云:"名者,实之宾也"(《逍遥游》);墨子又说:"所以谓,名也;所谓,实也;名实耦,合也。"(《经说上》)其实,在这一点上,还是司马光解释得最清楚:"何谓名?公、侯、卿、大夫是也。"(《资治通鉴·周纪一》)真正是要言不繁,一目了然呀!

　　成名,原来就是做大官!虽然司马光也谈到了"名以命之,器以别之"、"分莫大于名也"乃至"区区之名分复不能守而并弃之也"云云,总不如那句话来得简洁明了,彻底坦白。

逻辑关系也十分简单。成名,"公、侯、卿、大夫"的代名词耳。当了大官,权力在手,还愁什么钱呀、财呀、势呀、房子呀、地位呀、美女呀、子嗣呀……概而括之一句话,有了"名","利"也就滚滚而来,挡也挡不住。也难怪,中国人早已将"名利"捆绑在一起了。

话又得说回来,像陈胜那样冒杀头危险去成名也太可怕了,那可是拿性命去赌博呀。若不是有位好史官司马迁留下了他的"世家",中国史书上是否会有陈胜的"大名",还值得怀疑。

那么,通常又如何去"举大名"呢?南朝时的无神论者范缜断然否定了"因果报应说",曾不无调侃地表示,"使范缜卖论(指《神灭论》——引者),已至令、仆矣,何但中书郎邪!"(《资治通鉴·齐纪二》),这里至少透露出一个信息:出卖自己的观点,可以做个大官。因此,中国有了这么一个成语:追名逐利;又叫做:争名于朝,争利于市。乾隆皇帝下江南到了扬州,望着千帆竞发、百舸争流,就问身边站着的和尚:你能否数出江上有多少条船?和尚不加思索地回答:"仅两艘,一曰'名',一曰'利'。"

乾隆心中怎么想又怎么去说,那就不得而知了。不过,何止于江面呢?阡陌小路、阳关大道、驿道水路,匆匆而来,急急而过,"名利"二字确可概括人们心中的追逐目标。

令人苦恼不已的并不在于追逐过程中的挣扎、煎熬、奋斗与沮丧。还在于,一旦失去了名,利也消逝得无影无踪。而取代的,往往是令人震颤的非人待遇。

宋代靖康之后,成为金朝俘虏的人,帝王子孙、宦门仕族之家,尽为奴婢,干各种劳务活。每人一日给稗子五斗,自己舂为米,一年给麻五把,自己做衣。此外,无一钱一帛收入。男子不能自己做衣服只能终日裸体。这就不难理解,为什么进入官场以后还要拼命保住官位、发展官位?原来,一旦失去,那将是场巨大的灾难。没"名"了,又何来"利"呢?非但无"利",还将过惨不忍睹的生活……

中国先哲早就提出:盛衰不可常。想当年赵飞燕盛极一时,姐弟借光而"升天",真正是光宗耀祖、门庭若市;而终于灰飞烟灭,赵家落得个荒田野草之状。杨贵妃死于马嵬坡又何尝不是如此?帝王贵胄的末日,几乎难逃这个法则。真正是应了《红楼梦》所说的"当年笏满床,如今是陋室空堂";"忽喇喇似大厦倾,昏惨惨似灯将尽"。

有大名的,图大官的,终于是"因嫌乌纱小,致使锁枷扛"。难怪呀,大官大利,小官小利,无官不利。

说真的,还是小民百姓落得个清闲自在。既无追名逐利的烦恼,也无官位在手的担忧。何苦来哉?靖康被俘的如果是凡夫俗子,有一身力气,会点种地、捕猎抑或是雕虫小技,比起那帮在名利圈里打了一辈子滚的细皮嫩肉的公子哥儿们,至少,不会觉得惨不忍"苦"吧?

即使这样,名利的诱惑也太大了。不跌得个鼻青眼肿、不摔得个粉身碎骨,又有几个会清醒过来呢?

当然,正如本文开头所引,"名"并非完全是坏事,正当之利也可以"取之以道"。正是从这个角度出发,我们的史书上也留下了许许多多为名而不惜牺牲自己的人。这样的名永远被人传颂。

于是,一个又一个,一幕接一幕,围绕名利的连台好戏演了又演,常"盛"不衰。

"我善养吾浩然之气"

有一则故事,虽已说了久远,至今仿佛还足以发人深省。它出于《孟子·离娄下》:

齐国有一人,经常酒足饭饱以后回家。妻子问他与哪些人在一起喝酒,答曰:"尽富贵也。"妻子心生疑惑:怎么从不见那些显赫贵要者前来?便跟踪探究。只见丈夫到了城东角,讨那些祭祀后的剩食;一家不够,又去讨第二家……原来,这就是他的"餍足之道也"!

妻子回家后将这件事告诉了妾,愤愤然说道:"没想到,我们的丈夫——终身所仰望、依靠的对象,竟然是这样一个人!"妻妾越想越伤心,哭泣起来。丈夫醉熏熏地回来,不知其所以然,又用假话"骄其妻妾"。

孟子的感慨倒也十分明白:

> 由君子观之,则人之所以求富贵利达者,其妻妾不羞也而不相泣者,几希矣!

此人内心究竟如何呢？孟子没有交待。也许有两种心理在支配他如此无耻下流：

其一，吃得肚子饱饱的、嘴上油油的。管它是人家祭过祖宗还是死人的，管它是讨来还是捡来的，反正捞到了"实惠"。或许，这叫做手段是不管的，目的是唯一的。

其二，可以在妻妾面前神气一番。酒足饭饱，又说是与"富贵"朋友一起吃喝，那不就可以高人一等了么？至少，比妻妾高出不少。在虚荣心的支配下，仿佛自己真是在这伙人中觥筹交错、灯红酒绿，岂不美哉！

不知怎么，这个"齐人"、"良人"至今还在我眼前晃荡。杀人越货、拐骗抢赌、坑人蒙人、甘愿做"托儿"、"金丝雀"……啊呀呀，只要是有钱、只要是有利，哪怕钻狗洞、叫"亲爹"，也心甘情愿。这类人，我们还见得少吗！

当然，你还不能小瞧他，否则，他先啐你一口：哼，咱每餐"必餍酒肉"，你有吗？！

人与动物最大的区别就在于：人有人格，人有精神，人不可"饥不择食"。人首先得有自己的尊严。

孟子说得十分明白：

> 我善养吾浩然之气。

这就是凛然正气，也就是大丈夫的铮铮铁骨。

《孟子·滕文公下》中有这样一段话，几乎已成为中华民族的优良传统与风骨：

> 富贵不能淫，贫贱不能移，威武不能屈：此之谓大丈夫。

中华五千年历史，留下了多少这样的伟岸大丈夫，光天地、耀日月；而那些垂尾乞怜者，终究是遗臭万年。

孟子好用比喻、好说故事，他为后人留下的"揠苗助长"、"五十步笑百步"、"再作冯妇"等等，至今还在鞭挞那些急于求名、求利，又自以为是的人。

孟子视名利如粪土，他所追慕的"浩然之气"包含了自己对仁、义、礼、智的解释，那就是"恻隐之心"、"羞恶之心"、"恭敬之心"、"是非之心"。他认为，这四个"心"，应该是"人皆有之"，"仁义礼智，非由外铄我也，我固有之也，弗思耳矣"。按孟子的这样说法，应该是天生具备的。

正因为这样，"人皆可以为尧舜"、"圣人与我同类"、"尧舜与人同耳"，这就是说，人人都有圣人的潜质，人人都可以成为圣人。

当然，孟子还是强调了后天一个"教"字。"人之所不学而能者，其良能也。所不虑而知者，其良知也。""人之有道也，饱食暖衣，逸居而无教，则近于禽兽。"那么，该"教"什么呢？"教以人伦：父子有亲，君臣有义，夫妇有别，长幼有序，朋友有信。"

对于"利"，孟子一方面不屑于一顾，另一方面也还有个阐述："王何必曰利，亦有仁义而已矣。"而"仁，人心也；义，人路也"。"仁，人之安宅也；义，人之大路也"。

《离娄》的故事充分显示了孟子对那些刻意追求"名"（"尽富贵也"）、"利"（"必餍酒肉"）的厌恶与反感。我欣赏孟子的"浩然之气"说，这应该是我们每个人的追慕与努力实践的目标。

问题又在于，只是以穷困守志来抵挡名利的诱惑也不是个办法；只教以"仁义"也不足以抗拒名利的招摇。

那么，还是让我们牢牢记住并懂得这八个字吧：

恻隐、羞恶、恭敬、是非。

将名利拒之于门外

名利是个好东西。有了名,便意味着各种利源源不断而来。可是,名利又是个坏东西。有了名利,便遭嫉妒,便遭中伤,便遭厄运;更讨厌的是,有了名利,便要去保护,便要去发展,结果是本人昏昏然,丢了名利,甚至搭上一条性命、家中老小。

那又如何是好?

中国古人就倡导"出世",淡泊名利,甚至视名利如粪土。这种将名利拒之于门外的事倒也层出不穷。

后汉隐帝时,大将郭威曾任西军招慰安抚使。他领兵平定以李守贞为首的三镇(河中、永兴、凤翔)割据后,回到了开封(当时叫大梁)。

郭威入官祠见后汉隐帝。皇上对他进行慰劳,并赐给金帛、衣服、玉带、鞍马。郭威加以推辞,并作了一番表白:

> 为臣自接受命令以来已超过一年,仅仅攻克了一座城池,有什么功劳可言呢!况且我又领兵在外,而镇守京城,供应所需,使前方不缺粮,这都是朝中大臣的功劳……

明明已到手的一大堆奖品,郭威不愿接受,他突出讲的是,"皆诸大臣居中者之功也",也就是说,他首先想的是京城官员!

很遗憾,历史记载中没有详尽披露后汉隐帝前的大臣是何种人模狗样。是否郭威担忧奖品归他一人独享会引起诸大臣的议论或不满呢?应该承认,郭威头脑十分清醒。他竭力主张:"请遍赏之。"这就表明，大家都有一份，谁也没有什么话可说了吧？

后汉隐帝又提出加封郭威为地方藩镇。郭威又推辞说："宰相位在臣上，未曾分封藩镇，况且又是参予朝中决策的大臣"，还有节度使也有功劳……

过了些日子，后汉隐帝打算另外再赏赐郭威，可他又推辞："运筹策划，出于朝廷；发兵供粮，来源藩镇；冲锋陷阵，在于将士。"郭威这回说得更坚决了，虽然才寥寥十个字：

　　　　功独归臣，臣何以堪之！

反反复复推来推去，我总觉得郭威实在是深谋远虑。有了功，该得名利了；他却将功归于大家，人人都有一份。从某种意义上说，真是一种保护自己的好方法。

如若不然，又该如何呢？

南朝宋时，谢晦为右卫将军，有权有势，十分显赫。当他衣锦还乡、宾客盈门时，他的兄长谢瞻十分惊骇地表示：你实际的功劳并不大，如今却如此轰轰烈烈了，"这真是门户的福份吗？"说着，以篱笆隔门庭，又说："吾不忍见此。"

真是不幸言中。谢晦不久就倒了霉。

有一将领颜竣有了战功，他的父亲却说："我平生不喜见要人，今不幸见到了你。"一天早晨，父亲去见颜竣，见宾客已坐满客厅，而颜竣却没起床。父亲发怒了："你如此骄傲，能有多久？"不久，颜竣被杀，竟然又是不幸而言中。

隋朝时，高颖祥为仆射。他的母亲警告说："你的富贵已达顶点，最后就等着被砍头了！"儿子听了恐慌万分。不久高颖祥被罢免为民，后被隋炀帝所杀。

唐代潘孟阳为侍郎，年龄未到四十。他母亲说："以你这点才能就做到大官，我实在为你担忧。"不久，儿子病死。

读了这些倒霉人的倒霉事，实在觉得他们是"未听老人言，吃苦在眼前"。兄长、父亲、母亲，毕竟是过来人。他们知道官场险恶，前途未卜。最好的出路就是退出名利场，做个活神仙。可是，身为官宦以后，又有几个能明白过来呢？因此，郭威实在是了不起。贪图名利，有几个会得好下场呢！

无名、寡欲与弃利

被黑格尔称为"东方圣人"的老子，毕生在思考自然的规律和天地的本源，想得"玄之又玄"，就勉强把那个不可捉摸的规律和本源起了个名字，叫做"道"。于是，后人就把老子的学说称为"道家"，而老子本人也就成了道家的鼻祖。要说老子所谓的"道"是个不得已而勉强起的"名"，是有充分依据的。老子说：

> 道生一，一生二，二生三，三生万物。

次序井然。他又指出：

> 道可道，非常道；名可名，非常名。无名，天地之始；有名，万物之母。

可见在老子那里，作为"天地之始"的"道"本来"无名"，"名"只是"道"所派生的"万物"的标记而已。老子贵"道"而贱"物"，当然不会去看重那个作为标记的"名"了。老子反诘道："名与身孰亲？"言下之意，显然把"名"看成身外之物了，何足道哉！儒家提倡青史留名，所谓"了却君王天下事，赢得生前身后名"。重名和轻名，是儒道两家的一大分别。

老子为我们描绘出他的桃花源式的"理想国"："小国寡民，使民有什百之器而不用，使民重死而不远徙。虽有舟车，无所乘之。虽有甲兵，无所陈之。使民复结绳而用之。甘其食，美其服，安其居，乐其俗。"下面一句便是众所周知的"名言"了：

> 邻国相望，鸡犬之声相闻，民至老死不相往来。

老子对"新生事物"也太反感了，舟车之类都不作兴乘。那么，就复归吧，一直复归到"结绳而治"的时代。他大概还不知道人是猴子变过来的，否则肯定会倡导人再变回猴子，进到花果山，那该多么自由自在呀！

我总怀疑，曾担任过周王朝图书馆馆长的老子要么是人生道路坎坷，屡遭险厄；要么是史书看得太多，眼前尽是刀光剑影、狼烟烽火，否则，又怎么会如此消极、颓唐呢？

老子倡导清心寡欲。对物、对欲，老子几乎已到了嫉恶如仇的地步："五色令人目盲，五音令人耳聋，五味令人口爽，驰骋田猎令人心发狂，难得之货令人行妨。"那么，最好的办法还是躲进深山老林，与世无争，与利无夺。

话又得说回来，老子的清心寡欲不啻是名利是非"征战"中的一剂良药。谁又能永操胜券、立于不败之地呢？老子的劝导忠告，终究会使人获得一点心理上的平衡与安慰："夫惟不争，故天下莫能与之争"；"祸兮福之所倚，福兮祸之所伏"。

再仔细读读《道德经》，似乎问题又不是那么简单。历代的哲学家、思想家都称道老子的辩证法思想，即强调一切都处于变化之中。那么，又如何变呢？

> 将欲歙之，必固张之。将欲弱之，必固强之。将欲废之，必固兴之。将欲夺之，必固与之。

这种"大丈夫能屈能伸"的口吻，使我对老子心目中的真正理想王国不能不产生怀疑。老子说过呀："国之利器不可以示人"；"治大国若烹小鲜"。

这岂不有点沽名钓誉的况味？至少，也有点玩弄权术的味道。怪不得有人说，《道德经》"为后世阴谋者法"。

大约也缘于此，鲁迅对老子颇不以为然，在《出关》中对老子竭尽嘲讽挖苦调侃之能事。可不是么，老子说了半天，底下的反应是："来笃话啥西，俺实直头听弗懂！"

"义,利也"

"春秋无义战"。此时,出了一位很有点名气的墨子。

儒家有句格言:"义也者,宜也。"义,就是适宜。儒家将义看作手段,一种权宜之计。顺时度势,随机应变。说来也怪,"学儒者之业,受孔子之术"的墨子对此表示了截然相反的意见:"义,利也。"将"义"本身看作一种利益的追求。谁能真正实行"义",谁也就获得了最大的名利。这就是墨子明白无误的看法和主张。

有这么一个故事。公输般为楚国造云梯之类,准备攻打宋国。墨子闻讯就去见公输般,竭力劝解。公输般一意孤行,非攻打宋国不可。墨子就带领三百弟子,手执"守围之器",在宋城上等待楚军。

不知是墨子们的架势吓坏了楚王,还是墨子的劝说起了作用,楚王放弃了原先的主张:"善哉,吾请无攻宋矣。"楚王还说:"现在即使有人把宋国送给我,只要有丝毫的不义,我也不会要的。"墨子鼓励一番:"只要您努力行义,天下都是您的了!"

可不能小觑这支"墨家军"。连《淮南子》上都有这样的话:"墨子服役者百八十人,皆可使赴火蹈刃,死不旋踵。"瞧,"明知山有虎,偏向虎山行"。死到临头,脚后跟绝不转回去。

缘何如此?盖一"义"字也。墨子强调"非攻",认为杀一人,就是不义;那么,攻城灭国,何止于杀百人、千人,那就是大大的不义了!"今小为非则知而非之,大为非攻国,则不知非,从而誉之,谓之义。此可谓知义与不义之辩乎"?

墨子的"义"真可谓爱人之心到了家,"视人之国,若视其国;视人之家,若视其家;视人之身,若视其身"。如果真能照此办理,那么,每个人不但爱自己,爱自己的家,爱自己的祖国,而且爱别人,爱别人的家,爱别人的祖国。如是,天下似乎就能"兼相爱,交相利"。这就是墨子的义利一致观。

不过,墨子主张"义"、鼓吹"义",并发生效益,与他自己的行为表率也是分不开的。连孟子都这么赞扬他:"摩顶放踵,利天下,为之。"大概正是根据这句话,鲁迅又十分形象地描绘成墨子连续赶路,"草鞋带已经断了三四回","鞋底也磨成了大窟窿,脚上有些地方起茧,有些地方起泡了"。墨子吃的是玉米"窝窝头",家中席子已经有了"破洞"(《故事新编·非攻》)。确实,墨子似乎有点刻薄。他主张节用,主张废乐,要人们"日夜不休,以自苦为极"。这就是"尚俭"。以自己的思想、品行,尤其是具体的生活方式来宣传"义",当然也就有了巨大的说服力。

可是,历史似乎并没有过于理会墨家。

首先,实行者的难。如果真的学墨家这样一套艰苦奋斗的生活作风,又有几个能做到呢?俗话说,"有钱能使鬼推磨";"金钱不是万能的,没钱却是万万不能的"……墨家的尚俭、节用、非乐,也实在太折磨人了。所以,步其后尘者寥寥矣。

其次,当无理的拳头伸向你的面前,你能同他说"义"、说"兼爱"吗?毛泽东曾嘲讽过宋襄公蠢猪式的"仁爱",便是一例。

话又得说回来了。为着某种利益结帮拉派,诸如当年上海滩上的"青帮"、"红帮",也是一个"义"字作为招摇大旗。乃至那些哥老会,什么教主、"大哥大",无不以一个"义"字来蛊惑人心、稳定"士"气。因此,这个"义"便是一面双刃剑了。

对兄弟姐妹朋友同好,应该有个"义"字。不讲信义、没有仁义,犹如禽兽;可是,对敌人,尤其以"义"作大旗来吓唬别人的人,倒要问一问、嗅一嗅这"义"是种什么货色了。他要你讲"义",你同他讲

"义"，到末了他倒是毫无"义"气。这样的例子也实在太多了。

那么，墨子的"义"还是有明确界限的。只是后人利用了这个旗号贩卖了私货，使"义"字歪歪斜斜、曲曲折折——这种事也实在太多太多，不再去说它了。

"入世"与"出世"的选择

《三国演义》第一〇三回写道,使者对司马懿曰:"(诸葛)丞相夙兴夜寐,罚二十以上皆亲览焉。所啖之食,日不过数升。"于是,司马懿颇为踌躇地对众将说:"孔明食少事烦,其能久乎?"真是不幸而言中。五丈原诸葛襄星,一代奇人终于与世长辞。

罗贯中也并非杜撰,这段文字源出《资治通鉴·魏纪四》。过分操劳,辛勤过度,导致诸葛亮夭亡,时年五十四岁。按我们今天的说法,还应是如日中天的中年人。

事无巨细,无不过问,可能对人体有损伤。可是,还不能忽视心理因素。"百病从心生"。孔老夫子也有一句名言:"斯人也,而有斯疾也。"那就是说,什么样的人,就会得什么病。这"什么样",当然也就是指什么样的心理了。

其实,《三国志》的作者陈寿对诸葛亮分析得十分透彻:"连年动众,未能成功,盖应变将略,非其所长欤!"原来,诸葛亮也有"所短"。问题还在于,作为"隆中对"时已对"三分天下"了如指掌的诸葛亮,为报知遇之恩,明知蜀国力量不能同魏国匹敌,还连连征伐,"六出祁山",最后不得不唱"空城记"、"挥泪斩马谡"。

应该说,诸葛亮在刘备死后的一连串军事行动,是明知不可为而为之,这该是一件多么痛苦的事。劳而无功、劳民伤财,只是为刘皇叔的托孤,诸葛亮的晚年就时时处于这矛盾的交织之中。

问题还有另一面。诸葛亮是个读书人:"臣本布衣,躬耕于南阳,苟全性命于乱世,不求闻达于诸侯。"正如京剧《空城记》中诸葛亮的自况:本是一个散淡的人。中国自进入文明社会,知识分子总是处于"入世"与"出世"的两难境地。儒家以"道不行,乘桴浮于海"的顽强精神,主张出仕当官,以展现一生抱负,"治国平天下"。可仕途艰险,朝令夕改,读书人也难以招架。老庄哲学就洒洒脱脱,认名利如浮云,一切的一切,以自己的闲散自在为目标。

应该说,如果不是刘备的三顾茅庐,诸葛亮也许会以书为友,抚琴吟唱,对花饮酒,三五知己纵论天下,倒也犹如神仙。可是,出了山、拜了相,事情就远非如此简单。不错,诸葛亮是政治家、军事家,可他到底还是读书人。二十七岁以前,他埋头的就是书本。这种性格的铸就,在以后的军事、外交、政治的险恶风浪中,使他既能稳操胜券,又深深感叹自己只是一介布衣!这一点,还可在诸葛亮给其儿子信中得以一窥:"夫君子之行,静以修身,俭以养德,非澹泊无以明志,非宁静无以致远。"(《诸葛亮集·诫子书》)

从事一件明知胜少败多的工作,担起一副并不十分情愿的重任,诸葛亮的内心深处矛盾交织,——终于心力交瘁,中年天亡。

问题的复杂性就在于,作为一个读书人、知识分子,理智促使了冷静,可浮躁的客观又使自己走上喧嚣的尘世,反复对峙、反复较量,这种内心的痛苦也许是无以复加了。

贤士与隐居

当孔子大力倡导"入世"思想的时候,老庄便出来唱对台戏,鼓吹"出世"思想。"入世"也罢,"出世"也罢,实际上是一把刀刃的两面。在中国,满腹经纶总得作经世之用;可是,一旦意识到官场险恶,又想激流勇退,或者干脆著书立说,哪怕是藏之名山。

西方人反过来羡慕中国人,说中国人懂生活,把握了生活的真谛。其实,关于生活本质的研究,中国人确是擅长于理性思维。

有一则传说。一穷苦伶仃的老翁整日在江边钓鱼,也不知究竟有多少收获。一富翁觉得奇怪,便问这穷老汉为什么不想办法多去赚点钱?穷老汉鄙夷不屑地反问:"钱赚多了又如何呢?"富翁喜气洋洋地说:"可以买房子、讨小老婆、养儿子。""那么,这些都有了以后又怎样呢?"穷老汉又追问。富翁就说,可以到世界各地看看,空闲时到处玩玩,也可以钓钓鱼……

穷老汉随即截住了他的话,颇为自得地说:瞧,我这不已经是在钓鱼了?

这就是生活的"真谛"?我是颇为怀疑的。

鲁迅早先对儒家表示了厌恶与反对,甚至说孔教"吃人";可是到了后期,同老庄道家学说比较以后,鲁迅发现,不管怎么说,儒家是进取的,道家是消极的。

很难设想,如果世界上人人都采用道家的"名可名,非常名"、"道可道,非常道";抑或是"清静、无为"、"无为即无不为",这个世界又怎么进步？

因此，中国历史上大肆吹捧贤士、隐士，我总觉得是出于官场的险恶。刀光剑影、株连九族、诬陷反坐等等，一旦目睹，一旦身入，这才想起贤士、隐士。可是，悔之晚矣。

终于，贤士总连同隐士、隐居，被历代人们尤其是文人们激赏。也许，这不过是心灵的一帖安慰剂罢了。浙江富春江畔的严子陵钓台，因严子陵拒绝当官在此隐居而名声大噪。不过，那近百米的悬崖如何去放长线、钓大鱼？我是颇为怀疑的。不过是借严子陵及钓鱼台，抒发一下胸中的怨气，又为找到一个亲近者而"心有灵犀一点通"罢了。

贤士隐居反而成名，这在中国也算不上什么新闻。宋朝时，就有长长一串的贤士隐居名单：

慈溪蒋季庄，当宣和间，鄙王氏之学，不事科举，闭门穷经、不妄与人接。

顾主簿，不知何许人，南渡后寓于慈溪。廉介有常，安于贫贱，不蕲人之知。至于践履间，虽细事不苟也。

周日章，信州永丰人。操行介洁，为邑人所敬。闭门授徒，仅自给，非其义一毫不取。家至贫，常终日绝食，邻里或以薄少至馈。

……

抄录出这些贤士、隐士的大名，我想可以概括出几个特点：一是不当官，二是清贫，三是授徒，四是学有专攻，五是耿介。

其实，隐士还是有了名——只不过来得太晚，往往迟于他们的有生之年。

隐士其实有两种，一种是天生的"隐"，即懂事以后就下定决心去"隐"；也有的在红尘中滚打一番才大彻大悟，或许"隐"了一段时辰又再"显"，再"隐"，——直到老年才真正地"隐"了作罢。

汉顺帝时，南阳隐士樊英，从小就很有学识和才能，隐居在邓县壶山南面，名著海内。安帝在位时多次诏请，樊英就是不肯出山做官。公元127年，顺帝又亲自诏请，仍不赴。顺帝将气出到郡守县的头上，樊英才不得不来到京城。即使这样，樊英也称病不起。

下面一段对话，简直是精彩绝伦的戏剧台词。为节省字数，为如闻其人，我隐去讲话者的姓名：

"朕能生你，也能杀你，能贵你，也能贱你，能富你，也能贫你：你凭什么敢慢怠朕的诏命？"

"我受命于天，死也是天命，陛下怎能生我，怎能杀我！我见暴君如见仇敌，不肯立于朝廷。你能使我显贵吗？我本来就乐于过清贫的生活，难道就连贫穷还需要你再授给吗？"

一番唇枪舌剑，已充满了火药味。

汉顺帝大概是为了挽回自己的面子，就提出召用樊英为光禄大夫，并允许樊英带职归去。樊英仍不接受。如此，汉顺帝也下不了台。不过，世上还没有不愿当官而被杀头、下牢的事。此事只能作罢。意想不到的是，樊英却由此而青史留名。

仕途坎坷而看破红尘再作隐士的，那就太多了。

公元603年九月，王通将自己编著的《太平十二策》献给隋文帝。可是，隋文帝没有采纳。这使本来想以此"治国平天下"的王通十分失望，于是拂袖而去，决心永不为仕。

回到故里，王通在黄河与汾河之间的龙门找了一块地方教授学生。官府多次征召他做官，均被拒绝。丞相也找上门来请他出仕，王通却这样说：

通有先人之弊庐足以避风雨，薄田足以具饘粥，读书谈道足以自乐。

原来，以知识丰富自己，在青灯黄卷中寻觅、创造人生的价值，这就是隐士的志向与乐趣之所在。我以为，这样的隐士实际上又确定了自己的人生坐标系，为脚踏实地干些有价值的事作出了最坚实的理论与思想的准备。

潦倒的隐士也有。最终是一事无成——这或许也是一种人生哲学。

　　我并不赞成做隐士，但我同情被迫选择的隐士。隐士还得留意于学问与发现——这是我对隐士的要求。否则，为什么历史上只留下那么几个隐士的名呢？

轻名利者无畏

《辞海》对钱沣其人是这样解释的：

清书画家。字东注，一字约甫，号南园，云南昆明人。官至通政司副使。工书，正楷学颜正卿，晚年兼法欧阳询、褚遂良，气势开张；行书参用米芾笔法，亦刚劲多姿。清中叶以后学颜字的往往取法于他。又能画马。著有《南园先生遗集》。

如此说来，钱沣是个书法家、画家。其实不尽然，钱沣还是一位反腐败的斗士。

乾隆时期，虽有"盛世"之说，实际上也只能是相对而言；比起道光、咸丰、同治及以后几个，乾隆也算是稍稍"太平"罢了。实际上，此时政府的腐败、官吏的贪财、政治的黑暗，已经到了令人吃惊的地步。

于此，倒也出现了敢于直谏、敢于矛头直指贪官污吏乃至乾隆身边的宠臣的人物。他们舍得一身剐，演出了一幕轰轰烈烈、惊天动地的悲壮剧；他们置名利于不顾、置生死于度外，清贫了一生，奋斗了一生。

其中，就有钱沣。

乾隆四十六年(1781年)，发生了一起重大的王亶望贪污案。王亶望在任内曾把"监粮"改输现银。所谓"监粮"系依甘肃旧例，民出豆麦，捐一个国子监生的名目，即可应试入宫。王亶望于乾隆三十九年到甘肃就任后，就申报总督勒尔谨大量收纳"监粮"，又由王亶望将监粮改为输银;同时,又向中央政府虚报旱灾,伪称监粮均已用于赈济灾民,实际上这笔巨款已中饱私囊。

这件事曝光,还得力于大学士阿桂。他在奉旨勘察浙江水利工程时,发现地方官员有贪污行径。在追查主使人时,发现已在浙江任职的巡抚王亶望有重大嫌疑。恰在此时,乾隆终于知道甘肃哪有什么旱灾!于是,钦差大臣严加拷问,又抄了家,才发现王亶望已藏有百万金银。这一大案牵连几及百人,还牵涉到原军机大臣、上书房总师傅兼翰林院掌院学士、乾隆的宠信于敏中。

但是,却漏网了一个重要的知名人士毕沅。

《清史稿·钱沣传》中这样披露:"陕西巡抚毕沅尝两署陕甘总督,独置不问。沣疏言。"

钱沣时任监察御史,正值此案。他头一炮就是弹劾毕沅。钱沣认为,王亶望如此贪赃枉法,毕沅两署陕甘总督,岂无见闻?钱沣指出,如果毕沅早点发现此事,也不至于闹得如此大(按:这是乾隆最听得进的!);倒霉下台入狱的,也不会有这么多。

终于,乾隆还是姑息纵容了毕沅,只是将他从一品顶戴降至三品顶戴了事。

不久,钱沣又上书参劾山东巡抚国泰、布政使于易简。国泰为四川总督文绶之子、满洲镶白旗人,为一时著名的八旗纨袴子弟,又与大学士和珅互相勾结,狂妄骄纵,无人敢碰。于易简为于敏中之弟,阿附国泰,狼狈为奸。敢于弹劾此两人,没有一身胆量是万万不行的;钱沣也知道,事情真有出入,自己也将遭诬陷他人之罪。

国泰、和珅先是送狐皮袍子等物,钱沣不为所动。接着,国泰、于易简先召集山东富裕商户,令各出银两,先将亏空的库银补齐,对付过检查后再退还银两。钱沣事先获得情报,先还清银两,再算清帐目。从济南开始,再到山东其他地方,查出国泰、于易简贪污二百余万两银。到此,和珅无法为之掩饰,乾隆也大扫面子。两人下狱,乾隆赐自尽。

《清史稿·钱沣传》很有意思地写了这么七个字："和珅庇国泰,怵沣。"乾隆又怎能不"怵"钱沣呢？大凡清除贪官污吏,不少皇帝只是做做样子而已。你真的捅到他的宝贝疙瘩,又怎会让你有好果子吃？乾隆对钱沣生厌,还经常无理取闹找钱沣的茬。

钱沣可不管这些。终于,他向和珅挑战了。

钱沣从军机处几个大臣,如和珅、阿桂、王杰、尚书董浩等各在各自办公处办公说起,认为这样"各司咨事,趋步多歧"。此事倒也引起乾隆的同感,作了"申诫",并命钱沣稽查军机处。

和珅下了毒手。《清史稿·钱沣传》这样介绍："乾隆六十年,或谓沣将劾和珅;和珅实鸩之。"

那么,还是和珅用毒酒害死了钱沣。而钱沣终其一生,是"贫,衣裘薄"。母亲去世,还是借钱安葬的。这样的自律,在当时"无官不贪"中真正少见。

政治上这样的执着,刚正不阿,洋溢着凛然一身正气。钱沣的做人原则是:"已作真金,讵复成矿。是惟师(狮)子,乃解逐人。"真是掷地有声。

钱沣的名字,今人已不太熟悉。不过,他舍得一身剐、敢于奋斗的一生仍给我们很大的启发。当一个人真正做到置名利于不顾,出于公心去同贪污腐败作斗争时,那么,他的英名也将永垂千古。这可是真正的留了名,留了英名,留了大名,受到人们永远的尊敬。

如果钱沣只为名、只为利,他一定也会吃五喝六,腰缠万贯。他又何止于被害死呢？可是,钱沣毕竟没有这样做。

"拔一毛而利天下不为也"?

报上常常披载这样的"新闻"：某老人子女成群、儿孙满堂，却寄人篱下、冷落街头，甚至身处医院数年而无子女问津。老大不小的小辈大言不惭：可以让兄弟姐妹管呀、可以让社会去管呀，我可是穷得（或忙得）毫无余力。

社会上也有这样的故事：某人天灾人祸，好心人纷纷献上爱心，捐衣捐款捐物，却有人扔下一句"管我甚事"，扬长而去……

文学作品中有不少这样的"典型"：金银财宝样样都有，可四处哭穷，要他掏一个毫子，简直会以命相争。于是，人们称其为"吝啬鬼"、"铁公鸡"……

"铁公鸡"是什么？"一毛不拔"之谓也。这可有典故、有出处了。

史载，战国时代的魏国出了一位哲学家、思想家杨朱，古书中又称为杨子、阳子居或阳生。相传杨朱反对墨子的"兼爱"和儒家的伦理思想，主张"贵生"、"重己"、"全性葆真，不以物累形"，重视保全个人生命，反对别人对自己的侵夺，也反对侵夺别人。

作为论敌，孟子将杨朱思想概括为这么一句名言：

拔一毛而利天下不为也。

杨朱又用另外一段话，更是将自己的思想交待清楚：

古之人损一毫利天下，不与也。悉天下奉一身，不取也。人人不损一毫，人人不利天下，天下治矣。

我这才发现，仅仅说杨朱"拔一毛而利天下不为也"实在是断章取义，甚至有诬陷之嫌。因为他既不想给人以一毛，也不想要人家的一毫。两下岂不打平？

春秋战国时代还有这样的传说：尧帝要把天下的职位让给许由，许由听了连忙到箕水边去洗耳孔，因为他觉得这句话脏了自己的耳朵。那时，他的好友巢父刚牵了一头牛到河里去喝水，看见许由在洗耳朵，便问何故。许由把尧帝要让王位给他的事说了。巢父一听，急忙把牛牵向河的上流去，说是免得让牛喝了那脏水——这可是许由洗过耳朵的水呀。

许由、巢父可真正体现了杨朱的这句话："悉天下奉一身，不取也。"可这样的拒绝，这样的神态，这样的说法，总又有点令人感到夸张、做作。

实际上，面对礼崩乐坏、战乱频仍，杨朱对人类、对前途不无悲怆、厌世之感。他认为，人的一生"痛疾、哀苦、亡失、忧惧"几乎占去一半，真正的快乐又实在太少太少了。杨朱认为，"古之人"知道生是暂时来到，死是暂时走去，所以不违逆自然，心安理得。

杨朱对"名"有自己的解释：

> 当身之娱，非所去也，故不为名所动，从性而游，不逆万物所好。死后之名，非所取也，故不为刑所及。名誉先后，年命多少，非所量也。

他非但强调不应追逐"名"，还以为"名"在生前死后都是毫无价值的。

杨朱的人生态度实质上还是追慕"乐生"、"逸身"。人的一生不要太富，也不要太贫。太富了"累身"，太贫了"损生"。杨朱不求长寿，也不求速死，"从心而动，任性而游"罢了。

这岂不有点老庄的况味？

还是回到题目上来。我有意在"拔一毛而利天下不为也"后面加了个问号，表达了我对这句话的质疑与反问。

现在可以明白了，杨朱以后，直至今天社会上标榜"拔一毛而利天下不为也"的人，实质上是歪曲了杨朱、背离了杨朱。很多奉行此言的人不择手段地恬不知耻地去拔社会的、集体的、家庭的、亲友的一大把毛，这就叫"拔一毛而利自己敢为也"！

"难得糊涂"与认认真真

魏晋时期,群雄争王,政治高压,史称"天下多事故,名士少有全者"。其时有一批贤士文人,看到了时势的黑暗而采取或回避、或隐匿的处世态度,饮酒寻乐、作诗绘画,倒也乐在其中。阮籍与嵇康,就是"竹林七贤"中更为人们津津乐道的两个。

阮籍,生于公元 210 年,卒于 263 年;嵇康,生于 225 年,被杀于 264 年。引起我兴趣的一个问题是,性情相似、表现相近,却又为何有不同的结局呢?

纵观阮、嵇两人的一生,我以为,其根本区别就在于一个是"难得糊涂"、一个是认认真真,最终导致了一个"景元四年冬卒,时年五十四";一个残酷被杀,"时年四十,海内之士莫不痛之"。

先来看他们俩相同之处。

在外表上,均相貌堂堂,风度翩翩。"籍容貌环杰,志气宏放,傲然独得,任性不羁";而嵇康"身长七尺八寸,美词气,有风仪"。

在品性上,阮籍"喜怒不形于色,或闭户视书,累月不出;或登临山水,经日忘归。博览群籍,尤好庄老,嗜酒能啸,善弹琴。当其得意,忽忘形骸,时人多谓之痴"。而嵇康"天质自然,恬静寡欲,含垢匿暇,宽简有大量,学不师受,博览无不该通,长好庄老"。

然而,正是在处世的态度上,阮籍比嵇康洒脱、自然、幽默,又不无"小聪明"——懂得装疯卖傻,以求得保护自己。

且说阮籍的几个小故事。

阮籍对文帝说，东平风土不错，很想去那儿。"帝大悦，拜东平相"。于是，阮籍骑了驴到东平。仅呆十天便向文帝辞官——大约是玩了差不多。阮籍又听说步兵厨营有人善制酒，并贮藏好酒三百斛，就求得步兵校尉；等好酒喝完，他又不干了。阮籍邻居有一少妇，"有美色，当垆沽酒"，阮籍常去那儿喝酒，一醉方休，还睡倒在她边上。阮籍不当回事，那少妇的丈夫"察之亦不疑也"——用现在的话说，就是十分了解阮籍，也不怀疑是否有勾引他妻子的用意。有一家的女孩长得漂亮，尚未出嫁就死了，阮籍并不认识她的父兄，却也去哭丧尽哀。

三言二语，阮籍其人大概也可窥其一二了。

实际上，阮籍也不是平平常常的人，他"本有济世之志"。他到广武，看到当年楚汉相争的地方，说了一句令人怦然心动的话："时无英雄，使竖子成名。"——也许，这就是阮籍的历史观了。

再看嵇康，虽然，他与魏宗室结婚，却也注意修养服食之事，弹琴咏诗，自足于怀，以为神仙。他的人生态度是：禀之自然，"夫称君子者，心不措乎是非而行不违乎道者也"。难怪，史书记载上，他没有阮籍那些轶事趣闻，活得真是认认真真了。

要说阮籍真那么放荡不羁也不尽然。阮籍宣称"礼岂为我设邪"，却又"口不臧否人物"，"虽不拘礼教，然发言玄远"——有时，就是让人捉摸不透，又是哭笑不得。

司马昭曾为其子司马炎求婚阮之女，阮籍大醉六十天才得幸免。钟会也曾多次以政事套问他的态度，也是被他以酣醉躲了过去。

嵇康又有所不同。他称："越名教而任自然，情不系于所欲，故能审贵贱而通物情。"史书上这寥寥数字，似乎又使我们看到了嵇康认真、正直、明辨的一面。然而，大祸临头了。

小人一个的钟会终于插手。嵇康喜好在家中一棵大树底下打铁。钟会来访，嵇康照样打铁。钟会怏怏然也难说话，便要回去，嵇康就问："何所闻而来,何所见而去?"钟会回答很玄："闻所闻而来,见所见而去。"可别小看钟会这句话,实际上有着极凶狠的潜台词:我一切都清楚了!

果然,钟会对司马昭说:嵇康是卧龙呀!绝不可起用他,你才能无忧于天下。你应该以嵇康为最大的忧虑才是。司马昭就以"言论放荡"、"以淳风俗"为由欲将嵇康处死。

有一件事,我总觉得是帮了倒忙。此事传出以后,"太学生三千人请以为师",这还得了?!司马昭即使想收回成命,既碍于面子、又碍于嵇康如此崇高的威望,终于举起了砍刀。

有意思的是,阮籍历史上留下过一个污点,那就是给司马昭作"劝进文"。事先,由傀儡皇帝曹芳下诏加封司马昭为晋公,位居相国,赐九锡。又经司马昭再三谦以"固辞",前后磨了三四年,最后由大名士阮籍来写"劝进文"。那天,阮籍到朋友家喝酒去了;来人跟到其朋友家。阮籍已经喝醉,却被人扶着写下"劝进文"。

我十分怀疑这样的说法。因为不管怎么说。"劝进文"是阮籍执笔写下的。真的是烂醉如泥,又怎能写字呢?恐怕,这一会又是阮籍装糊涂:我是酒醉之中"写"下的,岂能责怪?

不管怎么说,阮籍是活下来了。

嵇康弹完琴,却大叹一声:"《广陵散》于今绝矣!"而成为刀下之鬼。

写到这儿,本可结束,可我又忍不住说那小人钟会。正是钟会,阴谋构陷阮籍,被他酒醉而弄得个没趣;而嵇康那儿碰到的软钉子与尴尬,使他下不了台,终于揭发、诬陷成功。当然,这又同嵇康与魏宗室有亲也有关系——司马昭之心,路人皆知嘛!

小人没有好下场——钟会最后也因谋反而被杀,但他的破坏性以及对正人、好人的杀伤性,确实也是不可低估的。

说 "宽 容"

人来到世上真如"西绪福斯"一样,整日价往山顶送石头,流尽血汗、殚精竭虑,眼看快到山顶了,可上帝只是动用一根指头,石头又一路滚下去;于是,西绪福斯只能再送石头,再滚下去……这个故事构成了人生的奥秘:不断受苦受累,却抵不住上帝一个"弹指";可人,还得做下去,循环往复、往复循环。

正是从这个角度讲,西绪福斯要比"精卫填海"悲壮得多。因为,精卫还算是不断地走向自己的目标,而西绪福斯陷入了一个可怕而又可悲的怪圈,不能自拔。

但是,人还得做下去。石头总要送的,上帝总要动用他的一个指头。那么,怎样做西绪福斯呢?怨恨、愁苦、怒火中烧都不能解决问题,那么,还是多点"宽容"吧:宽容别人,宽容自己,宽容一切。这儿,最难的还是宽容别人。兄弟阋墙、妇姑勃谿,生活中大大小小的磨擦,你惹不起,也躲不起。宽容就是一种处世态度和处世方法。

还是说两个历史故事。

汉高祖曾出外巡视,路过赵王属地。赵王张敖是皇上的女婿,见皇上前来,毕恭毕敬,却遭到皇上的慢待和辱骂。赵王的丞相贯高与赵午为报不平,想杀掉皇上,扶立赵王。赵王不允。后来贯高与赵午又暗地阴谋杀掉皇上,但却被人告发,事情败露。贯高投案自首,主动说清与赵王无涉,独自承担篡逆罪名。汉高祖因此喜欢贯高的为人,就免了赵王的职务,赦免了贯高之罪。

应该承认,汉高祖刘邦推翻秦王朝、消灭项羽,确有他过人之处,其中就不乏一种宽容的心态。所谓宽容,就是能接受反对自己的意见,甚至不追究试图杀害自己的人。不能在肚里撑船的,肯定当不好宰相。

汉高祖赦免贯高显示了自己的"雅量",当然会赢得朝堂上下一片赞叹声,因此,这实际上又是一种有远见的做法;况且,激起贯高诸人谋反之意的,也有汉高祖本身的原因。

不料,后人却评说不一。荀悦认为,贯高是阴谋篡逆的罪魁祸首,企图杀害皇上的乱贼;虽然能够证明赵王无罪,但小小的亮节不能够弥补大大的篡逆;个人的德行不能赎去对国家的罪过。荀悦的看法是,按照《春秋》的原则,其"罪无可赦也",也就是贯高不可赦免。

司马光的态度更明朗:"高祖骄以失臣,贯高狠以亡君。使贯高谋逆者,高祖之过也;使张敖亡国者,贯高之罪也。"(《资治通鉴·汉纪四高帝九年》)司马光认为,汉高祖本身过于骄傲,失去了下臣,也"逼"出了贯高;当然贯高也太狠毒,造成张敖失去了王位。对于赦免贯高,司马光没加评论。其实,字里行间我们可以发现,司马光着重谈的是原因,是根本。

要说这件事的最大得益者,依然是刘邦。因为他既有了好名声,又造成贯高无地自容而自杀身亡。

这就是一举两得、一箭双雕——宽容的好处。

汉高祖的后代汉文帝似乎比汉高祖还要宽容。他曾颁布诏书表示,古代唐尧治理天下,朝廷中设置有进劝善言的旗帜(站在旗下进谏,言语不当也不予追究)与专门设立可以在上面写意见的"诽谤之木"。如此这般,"所以通治道而来谏者也"。

汉文帝对当时法律上有"诽谤、妖言之罪"极为恼火,认为这样就使众臣不敢尽情而上,无由闻过失也。这样又怎么可以求得远方的贤良呢?!

汉文帝的态度斩钉截铁:"其除之!"

应该承认,人都有爱听好话的传统与习惯,老是受到各种指责,站也不是,坐也不是,怪不舒服的。可是,人是"西绪福斯"呀,陷入了怪圈又难以清醒,那么,听几句逆耳的话,也没有什么坏处。

看来,狭窄是人本身的心理特征,其针砭就是宽容。

天皇老子能宽容到对自己的杀身之祸与各种指责,作为平民百姓,又何不如此呢?

话再说回来了,宽容,使刘邦创立了汉代王朝、使文帝开始了文景之治——这就是宽容的好处。

恭 谨 处 世

汉宣帝时有一大臣姓张名安世,曾任尚书令,后迁光禄大夫。因为与大将霍光共谋废掉昌邑王有功,被宣帝拜为大司马,领尚书事。张安世的儿子张延寿也为朝廷大臣。张安世恭谨处世,各方面可谓小心翼翼。他以为父子俩均被封为侯爵,富贵已经达到了极点,就辞去自己的俸禄。皇上下诏让当时的财务主管"都内别藏"送给张安世"无名钱"数以百万。

当朝时,张安世每逢与皇上议论天下大政,一旦确定,他总是借病离开。听到诏令发布,假装吃惊,连忙让下官去丞相府询问。因此,朝中大臣都不知道他参加了意见。

张安世曾经推荐提拔别人任职。所荐之人前来感谢,张安世大为恼恨,他说:"举荐贤良是为了官称其职,怎么能有私谢的道理!"从此以后,张安世就不再与这些人来往。

朝廷中有个郎官功高而未被晋升,便去告诉了张安世。张安世对他讲:"你的功高,圣上自然明白;作为人臣,做事的好坏如何,本人能讲么?"张安世表面上拒绝为他讲情。可是,没过多久,此人却得到了升迁。

也是在汉宣帝时,太子太傅疏广对他的儿子少傅疏受说:"我听说知足者不会遭到耻辱,知止者不会遇到危险。如今你我做官已达到二千石的俸禄,功成名就,如果不知离去,怕终有后悔之日。"当天,父子两人都借口称病,上疏辞去职务。汉宣帝允许了,并加赐黄金二十斤,皇太子也赠给了黄金五十斤。公卿大臣和他们的朋友设宴饯行,直送出东都门之外,送行的马车有几百辆,路上观看的都说:"这两位大夫可真是贤良呀!"有的还叹息,流了眼泪。

父子俩回到家乡又如何,暂且按下不表。先来说说他们为人品格的显著特征:恭谨处世。

所谓恭谨处世,就是谨小慎微,凡事三思而后行;绝不是一意孤行,感情用事,草率鲁莽。张安世关键时刻"开溜",还假装什么都不知道;对举荐者,从不居功自傲;成全了别人,还不露声色。

都说世道艰险,只能是明哲保身。身居高位,名利滚滚时,明白见好就收——这也都是恭谨处世的表现。

因此,失去了恭谨,很容易陷入泥潭而不能自拔;失去了恭谨,昏头昏脑,到手的名利也会失去。

相比较言,张安世就比疏广多了点狡猾,他会装傻,弄得一切都是真真假假、真假莫辨。于是,张安世声誉更佳。好在他辞去俸禄后,皇上奖钱数百万。两者相比,他非但不吃亏,肯定还赚了。

这也是恭谨处世的好处。

疏广是有眼光的。他将在朝廷带来的钱大宴宾客,有人看不过去就劝他用金子多置些产业,也算是为儿女着想。疏广以为:

> "吾岂志悖不念子孙哉!顾自有旧田庐,令子孙勤力其中,
> 足以供衣食,与凡人齐。今复增益之以为赢余,但教子孙怠堕
> 耳。贤而多财,则损其志;愚而多财,则益其过。"

真正是一种战略发展眼光。

恭谨处世,也就包含了如何对待财产和子女的问题。当子女伸出双手去劳动致富、踩着土地去画出新图时,人们会发现,假如留的是黄金、钱币,子女们只会是胡天酒地,沉溺在享乐之中。

看来,恭谨处世不仅保住了自己,也保住了子女——真正是功德无量呀!

疏广又一针见血地指出:"富者众之怨也,吾既化以教子孙,不

欲益其过而生怒。"恭谨的好处在此也一览无余了。

那么,是不是恭谨处世也就意味着有更大的好处呢?难说,首先是保护了自己,其次才是发展了自己。前者是第一位的,后者是附带的。对恭谨处世,我作如是观。

人格尊严,堂堂之名

历史人物的评价总是一件很复杂的事。就拿孔子来说吧,一方面,他作为儒家思想的鼻祖,主张的是"入世"思想,所谓"修身齐家治国平天下"。说来也是,人生一世,不在世上留点名,又算得了什么呢?可是,另一方面,孔子又一再强调:"君子喻于义,小人喻于利"。"义"和"利",成为两件对立物。其实,还有呢,孔子又说:"富贵如可求,虽执鞭之士,吾亦为之;如不可求,从吾所好。"因此,能说孔子非得顽固地实现自己的政治主张不可吗?

其实,就在《论语·雍也》中有这么一段记载。樊迟问孔子,什么是"知(智)"?孔子回答说:"务民之义,敬鬼神而远之,可谓知矣。"这里就表达了两层含义。第一,对老百姓必须给予思想道德教育。联系"义"与"利"的对立,似乎就是理想、抱负之类了;第二,"敬"是假,"远"是真。这真应该感谢孔子才对。因为儒学几乎成为中国的"国教";而这种"国教",恰恰又不同于宗教。中国历史上从未有过类似欧洲历史上的宗教战争,这同孔子的思想肯定有关。

正是从这点出发,儒家思想确立了以人为本位,肯定了人的价值。《孝经》记述孔子之言道:"天地之性,人为贵。"孟子之论"人之所以异于禽兽者",荀子宣扬"人之所以为人者"……统统突出了人的地位、人的价值。

肯定了人,并不是终了。作为人的价值的体现,还表现在人格尊严。孔子有云:"三军可夺帅也,匹夫不可夺志也。"(《论语·子罕》)这儿的"志",实质上就是人格尊严;它所包含的,有人的自我尊重、人的自我认识、人的价值体现。

实际上,人之所以区别于动物,我想,一个根本的标志就在于人有理想、志向、抱负与胸怀,也就是说,人所追求的是"留芳百世",是要在历史的长卷中,自己的"名"不容玷污,更不被后人所垢病。孔子对保持人格尊严又提出了十分具体的方法:"贤者辟世,其次辟地,其次辟色,其次辟言。"(《论语·宪问》)问题再明白不过了,人格尊严的获得,正是在避开种种"利"的诱惑之后才成功的。

孟子更是提出这么一组对立概念:"所欲有甚于生者"与"所恶有甚于死者"。(《孟子·告子上》)这儿的"欲",也就是独立意识、百折不挠,比生命还宝贵,显然,这就是人格尊严了;而"恶",也就是种种对人格尊严的干扰,甚至不以苟且偷生为耻。那么,这又怎么谈得上人格尊严呢?

于是,产生出这么一句人生格言:士"可杀而不可辱"。它的出处在《礼记·儒行》:"儒有亲而不可劫也,可近而不可迫也,可杀而不可辱也……其刚毅有如此者。"面对着人格尊严的侮辱与失去,宁愿赴汤蹈火,而死不足惜。这是一种多么大义凛然的精神!正是凭藉着这种人格尊严,中国历史上才有了一个又一个光彩照人、彪炳史册的英雄。

问题还在于,这样的人格尊严,并不是恃才傲物、目空一切,它所强调的还有强烈的社会责任心。孔子曾针对社会上的"隐"者嘲讽道:"鸟兽不可与同群,吾非斯人之徒与而谁与?"(《论语·微子》)孟子更是说得明明白白:"夫天未欲平治天下也,如欲平治天下,当今之世,舍我其谁也?"(《孟子·公孙丑下》)理直气壮地承担起社会的责任,责无旁贷地出任社会的公职,这正是人格尊严的具体体现。

很难设想,一个具有强烈人格尊严思想的人,他对社会是漠不关心或者是一推了之的。所谓人格尊严,就是在具体的社会行动中,显示出责任与作用。当社会承认了这种功劳,乃至人们津津乐道而永远传唱时,人格尊严才有了真正的落实之处。

这样,就有了一个区别:口头上念念叨叨"人格尊严"而不愿"拔一毛而利天下"的人,实际上也不会留下什么"名"——或许只能是臭名,还得昭著;与其相反的,才真正是美名留传。

留得著述,名存青史

从"士"转为"仕",看上去仅仅增添两小笔,可在实际生活中又谈何容易。千千万万个读书人,拼命朝做官的途中挤拥,到头来如愿以偿的又有几人?中国的文字又挺会捉弄人,你瞧,"仕"才是"人",而"士"似乎还缺个人——虽然,仅仅是多一个、少一个"人"字边旁。

展开中国的历史画卷,身受腐刑的司马迁终于看到了一幅幅悲惨的图景:周公拘羑里、孔子厄陈蔡、屈原放逐、左丘失明、孙膑膑膝、不韦迁蜀、韩非囚秦……

可是,正是在困苦与煎熬之中,他们却作出了光耀日月的创举——那就是愤而述书。周公演《周易》、孔子作《春秋》、屈原咏《离骚》、左丘著《国语》、孙膑论《兵法》、不韦传《吕览》、韩非作《说难》《孤愤》……

司马迁的结论是:"《诗》三百篇,大抵圣贤发愤之所为作也。"(《史记·太史公自序》)那么,究竟有什么样的动力,使得他们愤而著述呢?

我以为,中国的知识分子本身有着强烈的功名意识。这种功名意识,固然是有光宗耀祖、荣华富贵的一面;可是,中国的知识分子本身也想有一番"治国平天下"的作为,一展抱负。事实是,善良人的愿望老是会在是非漩涡中碰得个粉身碎骨、人仰马翻。于是,提起笔,抒写自己的怨与恨、抱负与失望、理想与失落……

顺着这种出发点,还企图寻找历史的原因,为的是给后人留下一点启示。因此,司马迁揭示出这种现象的背后:"此人皆意有所郁结,不得通其道也,故述往事,思来者。"(同前)

但是事实上,司马迁想得更深远。

"李陵事件"使司马迁受到极大的侮辱与伤害。按照他的本意,或者以死抗争,或者从此退隐江湖。但是,司马迁从古人的"发愤之所作"中受到启发,那就是留下"究天人之际,通古今之变,成一家之言"的著作,而名传青史。

由此,司马迁替自己,也替知识分子找到了一条更为开阔、更为实在、也更为深远的成名之途、留名之道。

也许,这儿没有美味佳肴、红袖添香;也许,这儿没有名利富贵、黄金美玉……可是,一部真正的呕心沥血之作,一部从历史画面中来而又反观历史、炳照历史的著作,何尝不会留芳百世呢?

正是从这个角度,我们应该感谢司马迁。他用他的著作与思想,启迪了后来的知识分子,要争名、要留名,那就在自己的发愤著作中努力吧。也正是从司马迁开始,中国的知识分子雨中黄叶,灯下白头,在名利场外,留下了一个个光耀千古的大名。

司马迁开创了一个时代,那就是读书人的"名"要传千古,还是在著述中多下苦功。这样,他对"名"的解释既比以往宽泛,也深刻许多。是呀,政治家的运筹帷幄,军事家的血流漂杵,最终都化为过眼烟云。唯独一个有良知的知识分子所留下的著述却是永存的。

看来,中国的知识分子正是循着这条轨迹,在中国绵亘的历史中,有了更多的"名"。

"仁义信",留美名

    孔子的学说包罗万象,有时,只能令后人仰而视之。不过,孔子反反复复强调的"仁者,人也"的寥寥数字,却足以发人深省。按照后人的解释,"仁,亲也,从人二"。孔子的"仁",就是爱人,包括了恭、宽、信、敏、惠、智、勇、忠、恕、孝、悌等内容;其中,又以"己所不欲,勿施于人"和"己欲立而立人,己欲达而达人"为要,也就是凡事得为对方先设想的意思。一部《论语》,多次讲"仁",例如,"泛爱众而亲仁"、"若圣与仁,则吾岂敢!"……虽然注家蜂起,但是"仁"的核心是爱人、理解人、宽容人,这一点也已成为对儒家学说的共识。

    古人的"义"字本来出于"义者宜也"、"行而宜之之谓义"。这里,孟子讲得最明白:"舍生而取义者也。"义,即正义,一种凛然正气。而"信",孔子就定义为"与朋友交而不信乎"、"敬事而信"、"谨而信"。"信所以守也",也就是忠实、诚恳之意。

    之所以先来注释一番"仁、义、信",因为这三个字实际上构成了中国政治家管理国家、读书人处世的行为标准与道德规范。大凡历史上能留下美名的,首先就在于做到了"仁、义、信"。

    过去曾有人说过,荀子与孔子学说是对立的,从荀子以后派生的法家学说,更是与儒家学说誓不两立。其实,荀子与孔子有绝妙的相通之处。例如,荀子就说过"用国者义立而王,信立而霸,权谋立而亡";他又说,"挈国以呼礼义,而无以害之。行一不义、杀一无罪而得天下,仁者不为也"。请看,这些话同孔子言论何其相似乃尔！还有呢，荀子严肃批评了举国上下都热衷于功利，不去提倡仁义，不依靠信用，唯利是图，取的只是"小利"……这些简直又是从反面论述了离开"仁、义、信"的危害。

还是说个故事。

公元前403年，战国诸雄互相侵夺、杀伐、扩张，周天子已经失去控制局势的能力。韩国向魏国借兵攻打赵国。魏文侯说："我与赵国的关系如同兄弟，不敢听命。"而后赵国又向魏国借兵攻打韩国，魏文侯又以这样的话回答了赵国。韩、赵两国都很恼怒地离去。终于，他们还是发现了魏文侯确实是把自己看作兄弟，也就真心诚意地来朝拜魏国。魏国的势力日渐强大，其他诸侯国也就善罢甘休了。

正是因为魏文侯处事遵循了"仁、义、信"的原则，也就留下了一份美谈。

再说一则故事。

荆州一带盗贼蜂起，多年来不能安定，汉顺帝任用大将军梁冀的部下中郎官李固为荆州刺史。李固来到荆州，派属吏安抚慰问境内百姓，赦免寇盗以前罪行并给以重新做人的机会。盗贼的头领夏密等人率领其主要干将六百余人自缚投案自首。李固全部赦免他们的罪行，打发他们各自回到家中，让他们互相招集，自觉宣传政策和执法。半年时间，其余的盗贼全部归降，荆州之内政事清平。

李固的成功，后人以"恩信"予以评价，其本质还是"仁、义、信"。首先是视"盗贼"为人，理解他们被逼迫的处境；其次是讲义气，再次是守信用。如果是说放了，又诱而捕之，问题就绝不会这么顺利地解决。

当局者的"仁、义、信"，终究留下了美名。

至于平民百姓、凡夫俗子处世待人，如果不仁、不义、不信，唯以利害关系相处，就算是老谋深算，别人又怎么会屡次上当呢？

古人云，"治大国若烹小鲜"。管理国家犹如煮条小鱼，那别提多轻松了。不过，少了"仁、义、信"，这道菜肯定是做不出来的。

也惜"身后名"

东晋陶侃,当其为征西大将军时,都督荆、湘、雍、梁四州军事兼荆州刺史,老百姓无不为之欢欣鼓舞。陶侃聪敏恭谨,终日敛膝危坐,检察整治军府众事,点滴无遗,从不得空闲。陶侃常对人说:"大禹圣人,乃惜寸阴,至于众人,当惜分阴。岂可但逸游荒醉,生无益于时,死无闻于后,是自弃也!"(《资治通鉴·晋纪十五》)

辛稼轩词云:"了却君王天下事,赢得生前身后名。"这就引出了一个话题:也惜"身后名"。

自孔子订《春秋》,"乱臣贼子惧"!不过,这也只是说说而已。否则,一部中国历史岂不太平无事、歌舞升平?

岳飞"精忠报国",后人立庙祭祠,英名万世传颂;秦桧夫妇卖国又陷害忠良,后人将其夫妇铸成石人,永跪于岳武穆前,并遭后人永远唾骂。这是遗臭万年。

帝王将相,可以入"本纪"、"世家"、"列传";平民百姓,可以修"家谱"、"族谱",得以留名。

因此,令人奇怪的是,中国人不但重视身前名,也重身后名。有时,后者似乎比前者有过之无不及。在世时的名,有利益可得;死后之名,又图的什么呢?

虽然,佛教的传入是在东汉以后,可是"因果报应说"早已流传开来。所谓"前世"与"后世"的相互转换与变化,不得不使人身前就注意到"身后名"。

这个"身后名",还会涉及到子孙后辈。且不说爵位功禄,要不是荣国公、宁国公的"身后名",贾母、贾政、贾宝玉之流只能是喝西北风了。

怎料后人坏起"身后名"从不心慈手软。"掘祖坟"、"鞭尸"、"焚尸扬灰"之类,不能不使人活着就预防着这一天。那就不是"泽被子孙",而是"祸及万代"了。真令人不寒而栗。

再说,有了"身后名"的说法,总会使某些人收敛一点,提防一点,谁知道是否会有那么一天呢?正是从这个角度,我们可以断定,秦桧绝对没有想到他的"身后名"是如此这般。

就在距陶侃以后不久,北齐有个巴陵王王琳。此人体貌闲雅,喜怒不形于色,强记内敏,军府佐吏千数,皆能识其姓名;刑罚不滥,轻财爱士,得将卒心。后来,王琳被北周吴明彻擒获,最后被杀害。消息传出后,"田父野老,知与不知,闻者莫不流涕",用酒肉来祭奠。这是司马光在《资治通鉴·陈纪五》中的一段描叙。我很佩服司马光不露声色;不过,字里行间,爱憎褒贬也能使人触摸得到。其实,司马光正是将笔落到了王琳死后人们的悲悼及追念。一个人的"身后名",实际上就是被人怀念,时时记起。当然,留下了恶名,也将永远使后人痛斥与谴责——正如秦桧辈。

司马光从陶侃、写到王琳,实际上发出了声声忠告:还须留心"身后名"。

也有人气度不凡,预料到后人的争执与评价的不一。干脆,立一块"无字碑",功过任由后人评说——这就是武则天。

不过,中国历史上能有几个武则天?

科学留名

应该承认,古代中国在西方人眼里还是一片神奇的土地。明代以后,马可·波罗、利玛窦、汤若望等飘洋过海到中国,他们惊叹中国的文明与发达,开始向西方介绍中国。他们也带来了西方的文明,尤其是西方的科学技术。明朝后期,西方传教士大批东来。他们既带来了基督教义,也带来了更多的西方科学技术。

终于,西方科学溶入了中国社会,有识之士发现了科学的重要性。这里,应该提到徐光启的远见卓识。1600年,徐光启在南京会见了利玛窦。过了三年,徐光启在南京又拜会了罗如望。

徐光启对利玛窦的认识与真挚,在《利玛窦中国札记》中有详尽的披露:

> 那一整天直到天晚,他一直安静地思索着基督教信仰的主要条文。他把基督教教义的一份纲要,还有利玛窦神父教义问答的一个抄本带回家去;那是还没有刊行的一个文本。他非常喜爱这两部书,以致他通宵读它们,第二天回去以前,他已经记住了整本的教义纲要。

徐光启对基督教律法的理解是四个字:"易佛补儒。"也就是说,徐光启认为基督教丰富、补充、补偿了佛教与儒教的不足。由此,徐光启认为"格物穷理之中,又复出一种象数之学"——这就是自然科学了。

徐光启决定翻译西方的《几何原本》。

利玛窦告诉徐光启,要想翻译《几何原本》,除非是有突出天分的学者,否则很难坚持到底。徐光启知难而上,经过一日复一日的勤奋学习和长时间听利玛窦讲述,徐光启终于能用优美的中国文字写出他所学到的一切东西。仅用一年,《几何原本》前六卷就以清晰而优美的中文文本出版了。

《几何原本》很快受到人们的欢迎而成为抢手货。对此,《利玛窦中国札记》谈到:"……中国人最喜欢的莫过于关于欧几里德的《几何原本》一书。原因或许是没有人比中国人更重视数学了,虽则他们的教学方法与我们的不同;他们提出了各种各样的命题,却都没有证明。"

徐光启还学习、借鉴西方的农学、天文学以及测量和水利等等。同时,徐光启还编著了《农政全书》,主持编译了《崇祯历书》等书。

在一般人心目中,徐光启只是一个科学家、数学家;其实,徐光启做过不小的官。崇祯五年,徐光启升任礼部尚书兼东阁大学士,并参机要;崇祯六年,兼任文渊阁大学士。《明史》也有《徐光启传》。《传》一开始就说:"从西洋人利玛窦学天文、历算、火器,尽其术;遂偏习兵机、屯田、盐筴、水利诸书。"

从徐光启,我想到了这么几个问题。

明朝中叶以后,先是西方人叩开了中国的大门,带进了西方文明与科学。应该承认,明朝中、后期,即使到了崇祯,对西方的文明与科学并没惊惶失措而再关上国门。正因为有了这个前提,徐光启开始钻研西方科学,介绍并引进西方科学。

作为一个中国读书人,徐光启并没有将儒佛道看得无比完美、无比崇高;也没有将西方基督教看得十分恐怖、可怕。相反,徐光启认为西方基督教可以补充儒佛道的不足,从而去破除"河洛邵蔡"的东方神秘主义。这种宽容好学、不唯书只唯实的态度,使中国在明代后期出现了一位大科学家。

徐光启的出现,同崇祯有一定的关系。不错,明代败亡在崇祯手里;可是,历史学家早就指出,崇祯不是一个败国之君。他曾挣扎努力,可惜大明江山气数已尽,难以力挽狂澜。作为身边的大臣,徐光启学习西方科学,还要介绍、推广,崇祯至少表示了兴趣与尊重。他不仅擢升了徐光启,还让他主持全国的文化教育工作(文渊阁大学士)。正是这样一些有利环境与条件,出现了大科学家徐光启。

人类发展史告诉我们:科学是社会进步的重要动力。中国的落后,在某种程度上就是科学的落后。

人们认识徐光启,人们懂得徐光启,人们也尊重徐光启。上海至今还有一个徐家汇。浩瀚的二十五史,有多少个宰相之类的大官。可是,他们中绝大多数烟消云散,不再被人们提起。如果徐光启仅仅是个大官,也许人们早就将他忘记了。是科学,使徐光启在历史上、在人们的记忆中留下了美名。

谦恭,不仅仅是美德

南北朝时期的北周武帝宇文邕在位近二十年。他崇文尚武,政治清明,算得上一代明君。在他即位后三年,曾有过这么一件事。

北周武帝将要亲临太学拜师求教,封赐太傅燕国公于谨为三老。于谨上表执意推辞,武帝不肯答应,仍然赐给他延年拐杖。

我读的是《资治通鉴·陈纪三》。我惊讶司马光如同写小说或纪实文学那样详尽描叙了武帝驾幸(现代人叫"视察")太学、礼遇于谨的情景。我不是在转述故事,也不想缩写故事;还是介绍几个细节吧。

于谨进门时,皇帝迎拜于门口;

三老席位于大厅中间,于谨走上正席,面向南方凭几而坐。武帝上堂,立于东侧屏风前,面向西方;

侍从进献美食,武帝上前跪下亲摆酒菜,为于谨切割肉食;

于谨吃罢,武帝跪着捧送酒爵让于谨漱口……

这哪是一国之君呀?这分明是谦恭的学生!对了,这两者正统一在北周武帝一个人身上。

那么,这样做是否就跌了武帝的身份呢?不,在这儿,谦恭,已不仅仅是种美德,它已转化为治国安邦的重要因素。请看,正是如此"服侍",终于感动了于谨。于谨侃侃而谈。虽记载的是寥寥数语,也足以使掌权者猛省:

木受绳则正,君从谏则圣;

明王虚心纳谏以知得失,天下乃安;

去食去兵,信不可去,愿陛下守信勿失;

有功必赏,有罪必罚,则为善者日进,为恶者日止;

言行者,立身之基,愿陛下三思而言,九虑而行,勿使有过;

天子之过,如日月之食,人莫不知,愿陛下慎之。

我想,这几句话正是武帝需要的,也为他安定天下提出了基本方针。

反过来,如果武帝骄逆自傲,又有谁会为他出谋划策呢?即使有良相勇将,恐怕也只能是逃之夭夭。因此,拆穿了说,谦恭就会有收益,甚至很大的收益。

自以为是,拒绝苦口良药而酿成大祸的悲剧在中国历史上也太多了。

北魏时期皇太子拓跋晃曾留守京师执掌朝政。也不知是因为闲得无聊,还是穷得揭不开锅,这位皇太子竟然经营园田、坐收其利。他的老师高允实在看不过去,就进谏说:"你作为国家的继承者,是四方官吏所效法的楷模;而你经营私田,畜养鸡犬,甚至于在市场上设立酒店……"他的老师实在想不通:"你为什么要去与那些市井夫妇竞取尺寸之利呢?"

真的不知是为什么。问题的关键还在于,皇太子根本听不进老师的劝告,自以为是地干下去。其结果也就可想而知了。

我们来揣摩一下皇太子的心理,肯定是这样的:我有什么错,卖田地、开酒家有什么不好?我应该是说了算、干了看!要你老头子多嘴多舌?!毕竟这种闹着玩似的蝇头小利有损皇太子形象。由此,我们可以发现了皇太子的品格、道德与素养。

"有比较才能有鉴别",这是伟人说的;"是好是孬,拉出来溜溜",这是俗人说的。意思倒也接近。一个武帝、一个皇太子,由于

谦恭与否导致江山的守与失——乃至还被我们臧否——皇太子也
算起了点作用。

补过改错

《资治通鉴·汉纪四·惠帝四年》篇中,司马光发了一通令人感慨的议论。他说:过错,是人人都避免不了的;只有贤明的人才能做到知错即改。古代的圣明皇帝,唯恐有过错而自己不知道,因此专门设置有诽谤之木、敢谏之鼓,让人公开提出批评,怎么会害怕百姓知道自己的过错呢?

接着,司马光就举了仲虺称赞商朝汤王不惜改正错误、傅说告诫殷朝武丁不要文过饰非的例子,又进一步议论道:由此看来,作为人君,就不能以无过错为圣贤,而应以改正过错为美德。

终于,"图穷匕首见",司马光最后亮出了他的用意。原来,叔孙通在进言汉惠帝时讲"人君不会有过错的举动"。司马光一针见血地指出:这实际上等于开脱皇上的错误,将错就错。这种说法难道不是很荒谬吗?

古人云:"人非圣贤,孰能无过。"司马光针对谬论,进一步揭示出,即使圣贤也会有过错的。补过改错,不仅不会损害自己的名誉,相反还会增添自己的光彩。本来,"改了就是好同志嘛"!

司马光对自己的议论,可以说是身体力行。

在刚做宰相时,司马光亲笔写出一书信,张榜在官府客厅,其中说:访友诸君,假若看到朝政有过错,老百姓有疾苦,请用奏牍上告,"光得与同僚商议,择可行者进呈,取旨行之"。其中又写道,有谁用私信邀宠,最终不会有好处。

特别有意思的是，司马光还提醒大家：假如我身有过失，各位给以规劝，请用封口的书信让人送进。我将好好自省，然后加以改进。

司马光又讲了另外一种情况：对什么官员有意见或昭雪平反等等，应该写状纸，我来与朝省众官公议施行。

这份"文告"真是一篇妙文。我特别欣赏的，就是司马光的自我反省、自我约束以及以诚相待、虚怀若谷、知错即改的境界。

三国时期，曹操为一代枭雄。历史记载，他以猜疑、妒忌的心情，杀了杨修。当代剧作家又创作出京剧《曹操与杨修》，专门表现了这个故事，其中也流露出曹操杀了杨修之后的悔恨、羞愧与追思。曹操杀了杨修之后，见到杨修父亲杨彪，便问："您怎么这么瘦啊？"杨彪不无皮里阳秋地回答："惭愧没有先见之明，只剩下老牛舔犊之爱。"曹操听了不禁"为之改容"。

《古文苑》刊载了曹操给杨彪的信，列数杨修之罪，说是"以恃豪父之势，每不与吾同怀，将延足下尊门大累，使令刑之"。言下之意，还是杨修不好，曹操是为了杨家大业而杀了他。闪闪烁烁的解释，只有一句话是真的："每不与吾同怀。"这还得了，每件事都在闹别扭，不杀不足以平"吾"忿，岂有它哉。

不过，毕竟是枭雄，说了这通话后，曹操又送了一批礼品给杨彪，且见如下：

锦裘二领　八节角桃杖一枝　青牸牛二头　八百里骅骝马一匹四望通幰七香车一乘　驱使二人

另外，还给他妻子裘、靴、钱绢甚厚。卞夫人还给杨彪夫人写信表示，"明公性急，辄行军法"；又称杨修是"有盖世文才，阖门钦敬"；还送了衣服、文绢、官锦、香车，等等。

终于，杨彪及他的夫人写信表示"引愆致谢"。

这些内容，足以构成《曹操与杨修》之后"。

这都显示了曹操杀了杨修以后的补过行为。本来，人也杀了，为了维持自己的威严,还说什么后悔的话呢?可是,曹操又是写信、又是让夫人写信,还送大批礼物,终于感动了杨修之父。

这不能仅仅理解为虚情。毕竟,曹操还珍惜杨修的才情与他的友谊。这也表现出曹操一代风流、政治家、军事家的情怀。话又得说回来了,杨家在汉代四世作宰相,势力影响不可小觑,大概这也是曹操顾忌、担忧的一面。

知过即改,才会博得好名声。政治家如此,军事家如此,文人如此,平民百姓也莫不如此。

矫情饰诈,以藏其奸

战国时期,曾有一位著名的军事家吴起。在理论上,后人曾有《吴子》,记录了吴起的一些军事理论与思想,对以后战争的战略与战术,不乏指导作用。吴起还学以致用,在军事实践上留下了足以令人深省的范例。

不过,史书上有一则他的小故事却有着另外一层意思。

打仗行军,吴起与士卒"最下者"同衣食,"卧不设席,行不骑乘,亲裹赢粮,与士卒分劳苦"。一次,一个士兵背上长了一只毒疮,吴起闻讯后赶来察看。不知是遵医嘱,还是凭着经验,吴起用嘴吮吸该士兵毒疮,致使士兵很快痊愈。

本来,这可以成为吴起"爱兵如子"的美谈,值得后人传颂赞叹。不料,当时的情况是,该士兵的母亲听到这事以后竟然哭泣起来。旁人十分不解,便问:"你的儿子只是一个普通士兵,吴起将军吮吸他的毒疮,你为什么哭呢?"言下之意便是,你这个母亲也太不知好歹了。

母亲说:"不是这么回事。以前吴起将军也吮吸过我儿子他爹的毒疮,结果是他父亲拼命打仗而战死。现在,吴起将军又吮吸我儿子的毒疮,我真不知道这个孩子将要死在哪个战场上呢,所以我才伤心痛哭呀!"

我真不知道这支部队有没有随军医生,抑或是毒疮只偶尔发生在极个别人身上;否则,军医又干什么呢?人数太多,吴起又怎么忙得过来? 他会不会感染而中毒呢?

其结果十分明显,士兵因此感动而更奋勇打仗,那么,吴起的用心就十分令人怀疑了。

将军为士兵"吮疽",难免会给人"矫情"之感。

隋文帝的儿子、晋王杨广更是"矫情"的代表人物。平时,他只与萧妃一人同居,姬妾有孕却是不准生育,皇后因此多次称赞杨广贤明。对掌有实权的大臣,杨广都倾心相结交。皇上及皇后多次委派身边的人来到杨广住处,杨广和萧妃不管他们的贵贱,都要出门迎接,给他们准备饭菜,临别又以厚礼相送。上下无不称赞他仁孝。隋文帝与皇后来到杨广府第看望,杨广把美女全都隐蔽在别处,只留下一些年纪大的、长相丑陋的服侍,衣服上也不带花纹;屋里的帷幕一律改成素净的丝绸。杨广还故意弄断乐器之弦,不让拂去上边的灰尘。隋文帝见到这些,就以为他不好声色。回宫以后,隋文帝又把此事告诉左右侍臣,言语之中十分高兴。于是,侍臣们也都趁机向皇上道贺。

表面上做一套,心中想的是另外一套;以假仁假义演给别人看,内心却潜伏着更大的图谋,——这就是"矫情"加上"饰诈"了。

问题就在于,隋文帝早已立了太子杨勇,而杨广心有觊觎。他知道,明目张胆地跳将出来反对杨勇,只会是增加父亲对他的怀疑与不满;那么,把自己乔装打扮成一个仁义君子,终于博得皇帝老子的欢心。

妙就妙在杨广的矫情饰诈不是做给父亲一个人看的。他以小恩小惠收买了母后的婢仆,让他(她)们去送出种种好的口风,而终于是口碑甚佳。说来也可怜,他装寒酸、装穷、装傻。皇帝老子当然知道这不是因为穷得揭不开锅,这可是人品好呀!

那么,是真是假,还得看杨广的全部态度与行为。杨广说服他的哥哥又是丞相的杨素,杨素再去通过皇后之口向皇上吹风,也就是杨广如何如何之好。杨广还贿赂隋文帝左右共同馋言太子杨勇,很快就陷杨勇于犯罪。

双管齐下,隋文帝终于废太子杨勇、立杨广为太子。杨广遂心如愿。

这就是矫情饰诈,以藏其奸。吴起比杨广,真是小巫见大巫。

固权之术

没有当上官,竭尽全力去当上官;当上官以后,又绞尽脑汁去保住官位,发展官位。真是可怜见的,人的一生就在这拼拼杀杀、哭哭笑笑中度了过去。

不过,最令人痛苦的大概是怎样保护自己的既得利益了。因为,一无所有倒也罢了,反正破罐子破摔;可是一旦有了点权与利,失去的痛苦远甚于空着双手。

公元840年,唐文宗卒,本应立太子李成美监国;可是,宦官仇士良、鱼弘志两人篡改诏令立颍王李炎(唐文宗之弟)为太弟,并带兵迎颍王即帝位,是为武宗。唐武宗即位三年,就对仇士良外表恩宠而内心忌恶,仇士良察觉之后,便以年老多病为理由请求辞职归第。两个月后,武宗同意他的辞职请求。

此时的仇士良已有大卫上将军、内侍监的官职。现在辞职,似乎是什么也没有了。令人奇怪的是,他并不气馁,而是洋洋自得,大有东山再起之筹划。这里的一个关键问题,就在于仇士良有了一套固权之术。

仇士良的党羽送他回到私第,也许是兴奋,也许是充满信心,也许是要对下属、同僚面授机宜,也许还有点沮丧而伴随的自我安慰,仇士良发了一通慷慨之辞。

仇士良的固权之术为两大部分。

其一,"天子不可令闲,常宜以奢靡娱其耳目,使日新月盛,无暇更及他事,然后吾辈可以得志。"

其二,"慎勿使之读书,亲近儒生,彼见前代兴亡,心知忧惧,则吾辈疏斥矣。"

妙极妙极,仇士良的纲领与策略十分周全、详尽与实用。应该使皇帝老子整天忙忙碌碌,不得一点空闲,也就是整天吃喝玩乐,岂有它哉!而且得每天变着花样,忙得乐呵呵的,还有什么功夫管其他事呢?

一部中国历史,虽不乏励志图新的皇帝,但绝大多数是耽于嬉戏享受,其中也"玩"出了什么斗鸡专家、斗蟋蟀专家、赛马专家,或者画呀、写呀,等等,可惜,他们的才华与精力用错了地方。本来是国家的最高统治者,又怎么能成一个"玩"家呢?

仇士良十分犀利,千叮咛万嘱咐,不能让皇帝去读书,不能接近读书人;因为书上有着历朝兴亡史,读了这些,他岂不要触"书"生情,无事生非?

由此,仇士良以前者"吾辈可以得志"、后者"则吾辈疏斥矣"的结果,使其党羽感慨万千,"拜谢而去"。

用现代人的话来说,要保住自己的权势,必须使皇帝玩得忘乎所以,千万不要读书。仅此两条。如此这般,皇帝又成什么模样了呢?国家又成什么模样了呢?管它呢,我的"权"巩固、稳固就行。

不过,仇士良的两方面似乎还不够。要"固权",必须在皇帝上司面前多说好话,甚至于尽说好话。

汉武帝时,上官桀为区区一宫中养马官。汉武帝一度身体不好,等到痊愈,见到宫中之马多瘦,立即勃然大怒,喝问道:"难道我不会再见到这些马了吗?"

不料,上官桀不慌不忙,往前一跪:"我听说圣上龙体欠安,日夜忧惧,心意早已不在马上。"说罢,还滴出几粒眼泪。汉武帝立即大为感动。从此对上官桀十分亲近,屡次提升,直到受遗诏辅少主。

这绝不是笑林之类。险遭斥责的上官桀"好话"一出,立即改变了形势，就此还飞黄腾达，不可一世。

"固权之术"怎能少了这一条？

汉武帝听了这些话，立即回心转意。看来，大凡是人，尤其是天子之类，耳朵根子实际上是很软很软的。

迎合苟容以窃富贵

至德二年(公元 757 年)十二月,史思明降唐,两京收复,黄河以北大部重归唐有。唐朝旧臣在安禄山叛乱期间,有相当一部分变节投敌。对于这些人的处理,朝廷已确定采取定罪之法,即:重者杀之,次者赐自尽,再次者杖打一百或流放、或贬官,皆根据情节轻重。当时处斩达奚珣等十八人于城西南独柳树下,陈希烈等七人赐死于大理寺,应受杖者交予京兆府门。

不久,唐肃宗听到贼营中跑回来的人讲:"唐朝旧臣现在安庆绪帐中做事的人,听说广平王赦免了陈希烈,都感到自己有愧于大唐,后来又听说陈希烈被诛,就不再怨恨自己了。"

唐肃宗听罢,对处死那些人感到后悔。

是后悔杀了他们反而失信于人么?是后悔自己没有网开一面么?是后悔自己没有表现出仁人君子之风么?

对此,我们无从猜测。

不过,司马光有一段掷地有声、铿锵有力的评价:

> 为人臣者,策名委质,有死无贰,希烈等或贵为卿相,或亲连肺腑,于承平之日,无一言以规人主之失,救社稷之危,迎合苟容以窃富贵;乃四海横溃,乘舆播越,偷生苟免,顾恋妻子,媚贼称臣,为之陈力,此乃屠酤之所羞,犬马之不如。
>
> ——《资治通鉴·唐纪三十六》

司马光针对着唐肃宗的后悔,指出了人的气节这一大问题,用一句话揭示了陈希烈之流的心态："迎合苟容以窃富贵。"原来,仍是一个私利在作怪。

何必呢,"犯上作乱",老是跟上面过不去;说奉承话,说"吉利"话,说"漂亮"话,得到的名利那可是滚滚而来。什么国家、什么民族、什么集体,统统置脑后而不顾,因为这些同自己个人的好处是不相干的。我要的就是当官、发财甚至于当大官、发大财,其他的一切又一切,与我是无关的,我保住了名利,这就足矣。

说真的,司马光的这八个字,真正是揭示了这种人的行为动机,潜在心理。这是一点也不过分的。

至于天下大乱时,那可真像"夫妻本是同林鸟,一阵风来奔东西"。因此,平时奉迎皇上上司,乱时奉迎新主子,其心理动机是一样的。也就是说,一要保住自己的名利地位;二要发展自己的名利地位。这些人连宰猪的、卖酒的,甚至犬马都不如……管它呢,耳朵里听几句骂,同吃甜的、喝香的,到底哪一个来得实惠?

生祠何以遍天下

读《明史·宦官传》中的"魏忠贤",顿觉阴气森森、不寒而栗。一个太监,竟然将全国搞成一个恐怖的大地狱,实在是令人不可思议。

"魏忠贤,肃宁人,少无赖,与群恶少博,不胜,为所苦,恚而自宫。"《明史》还特意交代,此人"不识字"。

魏忠贤的发达从客观上说有三个原因。其一,皇帝的无能。"帝性机巧,好亲斧锯髹漆之事,积岁不倦,每引绳削墨时,忠贤以是恣威,福惟己意"。其二,官员的无耻。因皇帝老子对魏忠贤的高度信赖,使朝廷官员趋炎附势、竭力巴结,又进一步助长了魏忠贤的气焰。其三,有一支忠心耿耿的特务部队。锦衣卫,使人谈虎色变。谁都不敢对魏忠贤说一个"不"字——连不愉快的表情都不敢有,否则,"剥皮割舌,所杀不可胜数"。

魏忠贤当道,天下怪事无奇不有。最令人惊愕的,便是魏氏生祠遍天下。

此事始于潘汝祯。此人原在都察院任御史,因事遭东林党人弹劾,被迫"引疾"离职,随后投到魏忠贤门下,很快又被起用。天启六年(1626),潘汝祯巡抚浙江,为了报答魏忠贤的庇护之恩,殚思竭虑,想出一个替魏忠贤"建祠西湖"的主意。终于,在西湖畔的关帝庙和岳飞祠之间,建起了一座"备极壮丽"的魏忠贤生祠,又拉来两个厚颜无耻的内阁大学士施凤来、张瑞图为魏氏生祠撰记、题字。

照理,这种荒唐事应禁止并追查肇事者。可是不,已被魏忠贤及其鹰犬们围转得昏头昏脑的明熹宗,竟将肉麻当有趣,把该祠赐名"普德",而且下令批准杭州沈尚文等"永守祠宇"。

此风一开,顿时如洪水泛滥。皇帝和阁臣的举动,不啻下达了一道为魏忠贤建造生祠的诏书。于是,"诸方效尤,几遍天下"。同年十月,孝陵卫指挥李之才在陪都南京为魏忠贤建起了第二座生祠。江淮地区各督抚大吏也纷纷上阵,或一人主持,或数人联合,魏忠贤的生祠很快就遍布大江两岸。著名的有苏州的普惠祠、松江的德馨祠、淮南的瞻德祠、扬州的沾恩祠、湖广的隆仁祠、四川的显德祠等。

建祠之风北渐,没几年功夫,长城内外、大河上下,到处都出现了各级官吏建造的魏氏生祠。史称"海内争望风献谄,诸督抚大吏……争颂德立祠,汹汹若不及。下及武夫、贾竖、诸无赖子亦各建祠"。一时间,魏忠贤"祠宇遍天下,俎豆及学宫"。

生祠遍天下,当然首先是为了迎合魏忠贤的欢心。送金银、送稀世珍宝、送美女等,魏忠贤早已"笑纳"不已。那么,什么才是他最喜欢的呢?亏得潘汝祯(堂堂巡抚大官)想得出:造生祠。

生祠,一是可以图个长生不老、万岁万万岁(作为魏忠贤只能享受"九千九百岁"的待遇),天天有人敬香磕头、顶礼膜拜,上苍还不开恩赏个长生不老?二是可以八面威风,增强威慑力。全国上下到处是魏忠贤的生祠、塑像,那可真是"天下何人不识君"呀。如今好了,魏忠贤已像孙悟空拔出一把毛生出成千上万个小孙悟空,真魏忠贤倒省了一番心事。三是可以考验出地方官员的孝心与忠心。哪个祠大、哪个祠壮观、哪个祠造得快,当然是其孝心、忠心的表现;与此相反的,必定是心怀鬼胎、图谋不轨。

建祠之风很快刮到京官中,北京四处也遍布魏氏生祠。

光有一个生祠似乎还不足以说明问题,于是又伴随谁的塑像更生动出神,谁的词章辞藻更动人。据说有一像以沉香木为之,眼耳口鼻手足,宛转一如生人。腹中肺肠皆以金玉珠宝为之,衣服奇丽。看来,这又如同一场工艺比赛,巧夺天工。《明史》还有这样的记载:"凡疏词揄扬,一如颂圣,称以'尧天帝德,至圣至神'。而阁臣辄以骈语褒答,中外若响应。"魏忠贤终于走上了他的峰颠。

到了崇祯二年,"命大学士韩爌等定逆案,始尽逐忠贤党"。魏氏一倒,生祠成为"忠贤党"的铁证。顷刻之间,倒的倒,砸的砸,一切均化为乌有,只可惜了老百姓的钱财与劳力。

每读中国史书,我的恐怖之一就是怎不见大义凛然的反抗者、对抗者?也许,封建专制文化的氛围箝制了这种机会,可是,更多的是那些饱读圣贤之书的官吏们却还会"引经据典"地为某种荒唐事立论策论,并进一步去推动这种荒唐事。

请问,他们如此为虎作伥、推波助澜的用意又何在呢?答案十分简单:保住眼前名利地位,图谋进一步发展名利地位。如此而已,岂有它哉!

"尔曹身与名俱灭,不废江河万古流"。漫步西湖、爬越房山、指点大同、笑谈长城,何处还有魏氏生祠?不过,重提此事也可使人大开眼界,因为五千年文明史的古国,也曾有过这样那样的荒唐事。

科举考试一瞥

在中国古代，当官往往凭藉在战争中英勇杀敌，所谓"一将功成万骨枯"，总能获取个一官半职。又有世袭或者凭着皇帝或上级官吏的印象，"一言九鼎"，使某人一夜之间身价陡增。

对此，汉武帝时的董仲舒曾不无忧虑地指出：

> 夫长吏多出于郎中、中郎，吏二千石子弟，选郎吏又以富訾，未必贤也。且古所谓功者，以任官职为差，非谓积日累久也……累日以取贵，积久以致官，是以谦耻贸乱，贤不肖混淆，未得其真。

——《资治通鉴·汉纪九》

究竟用什么办法才能找到好官，也真使历代统治者伤透了脑筋。

终于，到了隋朝开始有了从地方到中央的考试选拔。秀才、举人、进士，乃至探花、榜眼、状元，一个普普通通的读书人，也可以有了出仕当官的可能。无疑，这种类似于今日西方文官制度的干部任选，大大推进了整个社会的读书风气，知识分子的社会地位也有了极大提高。"书中自有黄金屋"以及"颜如玉"、"千钟粟"，是读书人的一种盼望。一个毫无政治靠山、来头、背景的读书人，凭着书本知识，有可能挤进官僚行列，并以此光宗耀祖、蓬荜增辉。

凡事有一利必有一弊。成千上万的读书人，进入金字塔式的考试选拔，从概率上讲几乎是微不足道。大量被淘汰的，或许成为吴敬梓笔下的范进，或许成为鲁迅笔下的孔乙己。其实，钱钟书笔下的方鸿渐，又何尝不是一个人人可以欺侮的没有获取功名、官位的读书人呢？

且不说，本来是壮怀激烈，希望"修身齐家治国平天下"的读书人，一旦挤进当官行列，还有几个还会记得悬梁刺股时的旦旦誓言？也许，早已先去捞取钱财利益——加倍捞、拼命捞，以把过去的损失统统弥补过来，还得加上欠下的利息。

为了当官，读书人在各种考试中真是不择手段，无所不用其极。历史为我们留下了当年"反作弊"的种种措施记载。

唐五代时，试院外墙高一丈五尺，内墙也有一丈高。围墙一周，都种满荆棘，所以考场又被称作"棘院"。到了后来，凡入试的学生，都被互相隔离，叫做"棘围"，以防止交头接耳。金朝时，考场纪律更为严苛，考生入场前，要进行裸体搜身，让考生脱去衣服、鞋帽，打开发结，甚至连鼻孔、耳朵、眼也不放过。金世宗完颜雍即位，觉得对考生脱衣检查，实在有些不雅，不利于金朝笼络文士的大局，便开设了官办浴池，令考生脱衣入浴，事后换上统一服装入场。这个办法，沿用到金朝终止之时。

明朝万历年间，一次春季会试，监考官发现考生还穿着厚厚的裘衣进考场，以为这很便于挟带，就要求以后改在三月份，让考生都穿着单衣进考场。

到了清朝，顺治皇帝曾明令规定："生儒入场，细加搜检。如有怀挟片纸只字者，先于场前枷号一个月，问罪发落；如有请人代试者，代与受代之人，一体枷号问罪。"如果搜检员役知情容隐者，一律问罪。到康熙末年，对考场作弊的防范更加严密，但作弊者仍不乏其人。乾隆九年，顺天乡试中，第一二两场各搜出"怀挟"者二十一人，另有闻风提前散去者两千多人。乾隆帝为消除作弊现象，对考生施行了更为严苛的手段，规定：帽子不准用双层，皮衣去面，毡衣去里，衫袍都用单层，袜用单毡，鞋用薄底，坐具用毡片，卷袋不许装里，笔管镂空，水注用磁，甚至糕饼也要切开。考生入场前，要排成一行,鱼贯而入,以利搜身。两人共搜一人,一门、二门各搜一次。二门搜出"怀挟",其一门之搜检员役要予以处治。考生进入号房后,立即关门上锁,再不得出入号房和传递茶汤等物。

读着这些文字,我总觉得这哪是什么"试场规则",简直就是"牢房禁令"!搜身、脱衣、隔离,毫发毕现,如此状态下,还能考出水平——这也真难为了当时的考生。

有什么办法?当官的诱惑太强烈了,舍得一身剐,也得拼出个功名。

种种规则,只是针对考生们作弊手段的反措施而已。从中,我们似乎已经看到了考生们是如何来"对付"这种种考试的办法。

说 "附"

公元 840 年,即开成五年正月,唐文宗去世。文宗死前曾与宰相杨嗣复、李珏密议,准备奉太子李成美监国。可是,宦官仇士良、鱼弘志却伪造圣旨立颍王李瀍为太子,并带兵迎颍王即帝位。颍王入宫,喜怒不形于色,在文宗入殓之前,屡诛文宗近臣,而后即位,是为唐武宗。

唐文宗的宰相杨嗣复和李珏相继被罢免。唐武宗征召淮南节度使李德裕入朝;不久即任命其为门下侍郎、同平章事。

隔了两天,李德裕入朝谢恩,然后说了一番颇有意思的话。李德裕说:"达到治理天下的关键,在于辨察群臣的邪正。奸邪与忠正,两者势不相容……为臣以为正人如松柏,独自立身不依赖别的东西。"

那么,邪人又像什么呢?李德裕认为:"邪人如藤萝,非附于人不能自起……"(《资治通鉴·唐纪六十二》)

一个"附"字确实点出了"邪人"的要害。

本来,一心为公、作风正派,必然是大义凛然、一身正气。因为在天地间,正派人可以心昭日月,他"有容乃大,无欲则刚"。因此,正派人完全可以独立不倚,自强不息。什么权势、什么名利、什么背景、什么后台,他只是以自己的正气,当然也包括他的能力而受到人们的尊敬。

但是,正因为桀骜不驯,独来独往,甚至"不识庐山真面目"而横遭陷害;或许得不到上司的赏识,得不到周围人的尊敬,甚至只能身处孤独之中。然而,历史发现了他们纯正的良心而又永远彪炳史册。

邪人却不。

他们总是企图依附于某个大人物(从小小七品芝麻官到天子),狐假虎威,颐指气使。在中国历史上,邪人中最为突出的是宦官之流。他们被"去势",生理上、心理上都受到过戕害,却仍想出人头地作威作福,于是就千方百计讨好皇帝,而使皇帝对他们言听计从,宠爱放任。终于宦官们可以颠覆一个王朝,可以换掉一个皇帝。

这就是"附"。有私利打算乃至心怀叵测的邪人,也明白自己的主张与意图终会被人识破,于是只能是像一棵藤萝,依附在大人物身上,而让大人物去实现他们的主张,从而最后达到其个人目的。

藤萝的"附",是植物的枝蔓延伸、缠绕;人的"附",只能靠小恩小惠、满口好话甚至揣摩靠山、主子的主张意图,从而紧紧地"附",永远地"附"。

说"永远"也不妥当。"伴君如伴虎",官场如战场。说不定皇帝下野,大官下台,那就对不起了。收回"附"不算,也许还要狠狠地踹他一脚,乃至落井下石之类——这就是人的"附"比藤萝的"附"高明之处——因为藤萝还不知道更换主子,还不知道反戈一击,还不知道迷途知返。

据说,在唐王朝历史中,李德裕还算一个忠贞能干的大臣。他的痛斥"藤萝",明确的"忠邪观",还揭示了问题的要害:"先帝于大臣好为形迹,小过皆含容不言,日累月积,以致祸败。"

的确,有人来"附",也该问一问为什么来"附"、又为什么找到我的身上来"附"? 这么深思一番,也许想"附"者也无所可"附"了。

无廉耻心又奈何？

人生在世往往就是为了一张脸皮。纵然有黄金千两，他人之物岂可捞于自己袋囊中；纵然是珍珠宝贝尽在眼前，他人之物又怎可归于自己名下？因为，别人的东西硬说成是"我的"，无疑一为偷、二为抢、三为强占、四为拐骗欺诈，等等，等等。

为了个人的权势，可以认贼为父；为了一官半职，可以磕头求饶、奉迎拍马；为了某种升迁好处，可以强作欢笑、送货上门……

不过，"若要人不知，除非己莫为"。当人们目睹种种丑行而贻笑大方时，寡廉鲜耻者不就会名誉扫地、身败名裂吗？也不一定，管它呢，官位坐住了，钱财捞到了，名誉之类一张脸皮的事，值多少钱？值几品官？

面对已丧失廉耻心的人，实在也是没办法的事。

从茹毛饮血的原始人进化到人，首先一个举动就是懂得了"遮羞"。我想，人之所以区别于动物，这也是重要标志之一。伴随而来的，当然是人懂得更多的掩羞；即使是想拿、想要，也应懂得首先保护自己一张脸皮。

当然，一个人不要脸皮时，旁人也只能是无可奈何了。

范质的《五代通录》记述了五代十国时一个姓冯名道的人，"为宰相历数朝"。此人经历颇不简单，自燕亡归河东，在庄宗、明宗、愍帝、清泰帝、晋高祖、少帝、契丹王、后汉高祖，一直到后汉隐帝手下都任过要职（前后达十个朝代）；曾"三世赠至师傅，阶自将仕郎至开府仪同三司,职自幽州巡官至武胜军节度使,官自试大理评事至兼中书令,正官自中书舍人至戎太傅、汉太师,爵自开国男至齐国公"。这就是冯道的履历表。

由封建制度本身所决定,"一朝天子一朝臣"几乎是铁的规律。对新的皇朝来说,它对"先帝"的纲领、政策乃至用人大多持怀疑、忌讳的态度。因此,不用或少用前朝官员屡见不鲜——这还算好的。倘若有个什么差错,不满门抄斩,也是下狱充军。"三朝元老"实为罕见。

冯道却经历了十个朝代,可称奇迹。对于冯道不断晋升、不断发展的内在秘密,可以由历史学家、政治家作出专门的研究,这也许会对后人有所启发。不过,冯道本人倒是有一段"自白":"孝于家,忠于国,口无不道之言,门无不义之货,下不欺于地,中不欺于人,上不欺于天。"虽寥寥数字,倒也不乏自负、自得。果真如此这般就会不断发达、永远发达吗?还是看看冯道的进一步"自白":"其不足者,不能为大君致一统、定八方,诚有愧于历官,何以答乾坤之施?"这才是他内心的大忌与心病!十个朝代,熙熙攘攘乱纷纷,冯道从不去争"致一统、定八方",也就是说,得过且过、敷衍塞责。想想又何苦呢?拼命尽心,却没有一个好下场,还不如"混"过去算数。

至于"为官一任,造福四方",公正、廉政、正直、无畏之类,冯道就对不起了,否则,怎么绵亘十朝?

周太祖时有一王溥任相,也曾洋洋自得地自我吹嘘一番:二十五岁进士甲科,从周太祖征河中,改太常丞,不久作相。"在廊庙凡十有一年,历事四朝,去春恩制改太子太保。"

这儿的关键词就是"历事四朝"!比起冯道来,当然差一大截,可是当时的王溥才四十三岁,竟如此熟谙当官要诀,实在是难能可贵。王溥对此有一段自我评价:"每思菲陋,当此荣遇,十五年遂跻极品,儒者之幸,殆无以过。"两相比较,王溥连一点自责心也没有,岂不怪哉!不过,王溥在四十多岁就"自朝请之暇,但宴居读佛书,歌咏承平"。正是如日中天的时候,却"激流勇退",闭门念经。究竟是大彻大悟呢,还是有难言之隐,那就不得而知了。

你说"有奶便是娘";你说"只管眼前享受,捞现钱"。真的,无廉耻心又奈何呢?

历史自有历史的公认。对这种人,欧阳公、司马光都鄙夷不肖而诋诮之,那就是"无廉耻"三个字。历史将他们永远地钉在耻辱柱上。有谁还想一试,不妨请便。

别有一番做作

按照唯物主义态度，人死也就一了百了，"赤条条来，赤条条去"，又何足道哉！可是，封建等级制度的森严，照样要在死人身上做作一番。单单是丧服制度中的斩衰、齐衰、大功、小功、缌麻等所谓的"五服"，也够麻烦的了。至于死人的敛衣、饭含、铭旌、明器、枢材、丧车、仪仗乃至坟茔大小形制等等，都有严格的等级规定。若有违反，必将严惩不贷。

中国传统葬仪如此规矩、繁琐，实际上还是做给活人看的。一套又一套的制度，无非想告诉人们：老老实实，循规蹈矩，绝不可犯上作乱！

还有一点，那就是以死为契机，显示自己的孝呀、忠呀、节呀、义呀……

据查，父母死了，必须"居丧"，这从孔子时代就有了。宰我曾经居丧三年。平时一直一本正经、道貌岸然的孔子也不知是出于什么样的动机，"以食稻衣锦"问他："你安稳吗？"宰我坦然答道："安。"居丧三年开了头，一直绵亘到清王朝，清代人叫"丁忧"。我在想，曾国藩要不是在湖南湘潭家乡"丁忧"，他又怎么能组织起一支后来的湘勇团练呢？

不过，要人停止工作三年去居丧，势必影响国计民生。此事也曾使皇帝踌躇再三，可是，以"孝"治天下的根本又不能动摇，罢了，只能是服丧三年——也就是留职不停薪三年吧。

真的是居茅屋、食素、夫妇不同床三年么？不，大啖鱼肉、养小孩的有的是，当然，牌子挂的还是"居丧"——正在哭父母、想念养育之恩哩。

对此，有不以为然的。鲁悼公死后，有一个叫孟敬子的就表示，本来应该天天吃粥，以示悼念；可是当大官的都"居丧"，又如何处理国家大事？这也太过份了。不能因为感情深而苦了自己。于是，他慨然说道："我还是吃我的饭！"

有一个叫乐正子春的母亲死了，他五天没有吃饭，随即后悔不已："我母亲已得不到我的尊爱之情，我又怎么能一意孤行！"估计是第六天，他就开始吃饭。

这大概是对"居丧"的反讽。

与此差不多的是，帝王将相的陵寝，也有类似的情况。

宋孝武帝大造宫室，毁坏了宋高祖所居阴室——就是陵宫了——其中有一个叫玉烛殿。此处有一床，床头有土障，上挂葛灯笼、麻蝇拂两物。于是，众人一片唏嘘。

如此之陪葬物，实出乎人们意料。

高力士进了唐太宗陵寝宫，见到一只梳箱、一把柞木梳、一把黑角篦、一把草根刷子。当时，高力士唏嘘，唐明皇也唏嘘。

我怀疑这些材料的真实性。

秦始皇动用全国的力量建造地下兵马俑与自己的寝宫，并为使自己永远独享、别人不能染指而用尽机关。宋高祖、唐太宗如此这般，岂不太不般配了么？

不过，如此这般，也有如此这般的道理。

宋孝武帝见到葛灯笼、麻蝇拂，竟说："田舍翁得此，已为过矣！"真不知其老子地下有知还会说些什么。

高力士讲得更明白："先帝亲正皇极，以致升平，随身服用，唯留此物。将欲传示子孙，永存节俭。"原来，唐太宗的遗物，是留给后人看的。

人一死，灵魂升天，可还要挖空心思让后人们得到点昭示，岂非太累？

人一死，活人得披麻带孝、"五服"分明，还得"居丧"、"丁忧"、吃斋，活人也实在太累。

做作，只是为了一个名声。

善事上官总不错

有这么一则故事。汉光武帝提拔睢阳县令任延为武威郡太守，并亲自接见了任延。光武帝语重心长地对任延说："你要好好对待上一级的官员，否则就要失去自己的名誉和地位。"任延却这样回答："臣听说忠臣不应随声附合，随和的臣子不一定忠诚。走正道，秉公办事是臣子的气节。上下总是异口同声，并非是您陛下之福。陛下说好好侍奉上一级官员，臣不敢从。"光武帝听罢，深思良久，叹息道："你讲得有道理。"光武帝该如何评价是另外一回事，这个故事中的两个人，似乎地方官员在教育皇帝老子，这倒是真的。

不能不承认，光武帝熟谙当官之道。将一个县令官提拔到地区级干部（大概还不算高级官员），光武帝的告诫是"善事上官"。这就大有文章了。照道理，当官履新，应是熟悉情况，研究出针对问题的办法与措施，能迅速改变所领导地区（包括大小单位，诸如机关部门、企业、学校等等）面貌，这就必然令人刮目相看了。怎料想，光武帝的要求只是"善事上官"，才会保住名誉和地位。光武帝没有做过地方官员，这是可以肯定的。可是，别看他身居宫中，对下级部属，尤其官场升迁一套却是了如指掌。他的信条很清楚：你要保住眼前利益，就必须"善事上官"；并由此可以得到更多的利益。

什么叫"善事"？说来也简单，那就是好好服侍。再说到底，那就是"多磕头，少说话"；或者说，叫做"多举手，少摇头"。

大凡做了领导，总以为自己比别人高一等——这还包括脑袋智力。因此，"我"出的主意总比别人高明。再说，领导的威望是第一位的。即使有什么差错，也不应该由下级官员提出来，因为这会有损于"我"的尊严与威信。因此，即使错了（领导的"错"也是很少很少有的），也不应该由你老三老四、不知天高地厚地指出来。

那么，你老老实实听话，把"我"服侍得舒舒服服，我当然会不断提拔你——不过，总得比"我"小一级，——千万不能同级、更不能越级。"举贤不避亲"，还得做我的下级。

升官之道，莫过于此。

不料，任延却是点出了问题的要害。下级官员"一团和气"，只会看上一级的脸色而行事，岂非坏了大事？不敢指出问题、不敢抗争、不敢反对，"长官意志"第一，那可是社会之大忌、国家之大忌！

问题就在这儿。唯上级之命是从，坏了大事，利了自己；"不唯上"、凡事得想一想，不盲从、不随从，利了大事，坏了自己。那么，下级官员该如何选择呢？

任延理直气壮地否定了前者、选择了后者，明确地表示"善事上官，臣不敢奉诏。"幸亏光武帝还算宽宏大量，对任延的反驳表示了赞同。

可是，任延这一套真的行得通吗？

"天地君亲师"的牌位，高高在上。小孩离开娘胎、来到人世受到的教育就是"善事"父母、师长乃至上官。千错万错，听话总是不错。听话有多好！对了，分个剩菜残羹；错了，反正是"上官"定的，"我"不过是跟跟而已，顶多是"认识不清"。再说，一级级的"善事"，大家有福同享、有乐同受，真是既轻松，又舒适。

真的，任延的反对是真是假还很难说，"善事上官"是加官进爵的阶梯，这总不会错的。

话又要说回来了，绕了半天，如何才叫"善事"呢？

明代万历年间，有一进士，姓赵名南星，字梦白，天启年间曾任吏部尚书。也许是实在看不惯魏忠贤的无法无天、指鹿为马，但又不便直说，于是，他写了一本皮里阳秋、嘻笑调侃的《笑赞》，实在是令人哭笑不得。且看其中一篇《屁颂》：

有个秀才寿龄已满，去见阎王。阎王偶尔放了个屁，秀才立即献上《屁颂》一篇，热情洋溢地说："大王高耸尊臀，洪宣宝屁。依稀丝竹之音，仿佛兰麝之气。"阎王听罢，欢快万分，便给这秀才赠加了十年阳寿，并立即放他返回人间。十年期限满以后，秀才又去拜见阎王。这时，他扬眉吐气，得意洋洋，昂首望着森罗殿，大摇大摆地走上去。阎王问来的是什么人，小鬼回答说："就是那个会做屁文章的秀才！"

讲了这个故事，赵南星还不过瘾，又发了一通议论：

此秀才闻屁献谀，苟延性命，亦无耻之甚矣！犹胜唐时郭霸以尝粪而求富贵，所谓遗臭万年者也。

写《屁颂》的人，自己却不会拍马屁，甚至如此仇恨拍马屁的人。也许，正因为这一点，赵南星终被魏忠贤所陷害。呜呼，他实在是不会"善事"上官，还要出上官的丑，这就"坏事"了！

人前人后,各有一套

在平时生活中,我们最痛恨的无外乎那些阳奉阴违、两面三刀乃至口蜜腹剑的小人。也许只为是芝麻绿豆的小恩小惠,就当面一套、背后一套。也许,这会成就了那些小人;可是,一旦真相大白于天下,他们也就会无地自容,甚至是天地难容。

管它呢,得过且过,名利已经到手;至于被人拆穿了那套见不得人的勾当,那是另外一会事了。因此,屡骂屡演,屡演屡骂,始终不绝。

至于当官的搞这种小人动作,无非是想当更大的官,去捞更多的利。

公元232年,魏明帝执政,总想统一中国。侍中刘晔平时颇受魏明帝的信任和器重。魏明帝有意攻伐蜀国,朝臣们在宫廷内外都说"不行"。只有刘晔一人入朝与明帝议事时说"可以"。可是,刘晔出来与朝臣议论时却说"不可以"。刘晔巧舌如簧,两种不同的意见都能讲得合情合理。

中领军杨暨,主张不可攻蜀国的态度最坚决。他又很看重刘晔,每次从宫内出来,都要去访刘晔,刘晔就给他讲不可伐蜀的原因。后来,明帝与杨暨谈论伐蜀之事,杨暨恳切地劝阻,明帝说:"你这个书生,怎么会知道用兵之事!"杨暨连忙谢罪说:"我的意见的确不值得采纳,侍中刘晔是先帝的谋臣,他也常说蜀国不可攻伐。"明帝当即驳斥道:"刘晔曾对我说过可以攻伐蜀国。"杨暨不以为然,又不服气:"请把刘晔召来对质。"明帝当即下诏召来刘晔。明帝发问,刘晔始终不肯言语。

事情发展到这一步,应该讲,刘晔的真面目已经是暴露无遗。可是,刘晔大概觉得戏还不能收场,高潮还在后头呢。

刘晔单独进见明帝,"责备"明帝说:"攻夺别国,这是重大机密,我能参与这么重要的谋划,连睡觉作梦都怕泄密而获罪,怎么敢对别人说呢!更何况用兵之道全靠诡计多端,军事行动没有实行前,唯恐不够机密。陛下公然这样明白地表露出来,我深怕敌国早就知道了。"真是娓娓动听、沁人心脾呀!

妙就妙在刘晔见过明帝之后,出宫又对杨暨斥责一番:"钓鱼的人在钓中了大鱼的时候,一定得把线放长些任随它转游,等到可以克制它的时候再一拉紧,那就不会不成功了。人主的威势,何止是大鱼呢!您的确是个正直的大臣,您的计谋既然不被采用,不能不深思呀!"杨暨对他也表示了谢意。

讲到这儿,我突然产生一个念头。如果将此拍摄影片,用"平行蒙太奇"来展示刘晔对魏明帝、杨暨的谈话,那么,刘晔是个什么样的人物,也就昭然若揭了!

终于,东窗事发。有人对魏明帝说:"刘晔不忠实,他最会窥测陛下的意旨采取迎合的态度。陛下不妨跟他试谈,故意反着本意去问他,如果每问正好是相同的回答,那么刘晔的虚情假意就会全盘暴露,无处可逃了。"魏明帝照此试验了几次,果真察觉了刘晔的虚伪,从此就疏远了他。

刘晔此人的结果又如何呢?"晔遂发狂,出为大鸿胪(管理宾客、朝仪事务的官员),以忧死"(《资治通鉴·魏纪四》)。应该说,魏明帝对他的处罚还是相当客气的。不过,对老是人前一套、人后一套的刘晔来说,遭此下场也是罪有应得。

当面是人,背后是鬼,怀着不可告人的用心。拆穿了说,还不就是为了爬得更高、捞得更多!不是么,将自己的真实想法隐藏起来,一味地奉迎、点头、说好话，终于博得上司的欢心，再赏赐个一级半级。如此这般，不消几年，终于是出人头地，睥睨一切。退一步说，即使想用这一套来保住眼下的既得利益，那也实在可悲与可恨了。

　　在政界、商界乃至学术界，确实有那么一批人，藏头缩尾，跟在某某"权威"后面亦步亦趋。这样昧着良心干，无非为的是保住名利，窃取更多的名利罢了。

　　那么，他的独立的人格呢？他的真实的主张与主见呢？对此，我突然感到阵阵悲哀。

和珅发迹之谜

　　乾隆时期,有一和珅,本为平平常常的人。史书载:"和珅,字致斋,钮祜禄氏,满州正红旗人。少贫,无籍,为文生员。"乾隆三十四年时,和珅承袭了三等轻车都尉,寻授三等侍卫;乾隆四十年,值乾清门,擢御前侍卫,兼副都统;次年遂授户部侍郎,命为军机大臣内务府大臣;不久,又兼步军统领、充崇文门税务监督,总理行营事务……

　　《清史稿·和珅传》是这么列出和珅履历的。令人寻味的是,"值乾清门,擢御前侍卫"后一发不可收。看来,《清史稿》的作者在此打下一个埋伏,"值"、"擢"实在是语焉不详,大有讲究。

　　实际上,和珅以后的光环远不止这些。可以这样说,在乾隆后期,和珅在大清帝国真是"一人之下,万人之上",权倾一时,无人匹敌。

　　乾隆死,嘉庆接,和珅一个跟斗从云端栽落下来。史书上详细披载了和珅被嘉庆"赐死"时宣布的二十条罪状。

　　说实话,什么"册封皇太子尚未宣布,和珅于初二日在朕前先递如意以拥戴自居";什么"骑马直进圆明园左门,过正大光明殿至寿山口";什么"乘椅轿入大门,肩舆直入神武门";什么"取出宫女为次妻"等等,很难说和珅政治上有谋反、篡逆。问题的关键就在于,和珅贪婪成性达到了骇人听闻的地步。

　　"二十大罪状"中列出了一份和珅财产"清单":

珍珠手串二百余多,比大内数倍,大珠大于御用冠顶;宝石顶非所应用,乃有数十几块; 大宝石不计其数,胜于大内; 藏银衣服数逾千万; 夹墙藏金二万六千余两; 私库藏金六千余两; 地窖埋银三百余万两; 通州、苏州当铺钱店资本十余万……

连他的家奴刘全家产也有二十余万,并有大珍珠手串。

这真正是"和珅跌倒,嘉庆吃饱"。

还是回到题目上来,让我们看看和珅发迹之迷,一"值"、一"擢"究竟藏有什么奥秘。

和珅任乾清门侍卫时,正二十四岁。

一天,乾隆经过这里,看到和珅面目清俊,一时多看了两眼,似乎感到面熟,仔细端详,想起一个人来;而和珅和那人,长得又是那么出奇的相像!

那人不是男的,而是个女子;更不是一般寻常女子,而是乾隆的父亲雍正的一个妃子。那妃子叫马佳氏,长得十分美貌,很得雍正宠爱;她性格温柔、与人和善,宫中的人都喜欢这位皇妃。乾隆做大阿哥时,称宝亲王,常到马佳氏那里去。马佳氏也喜欢这位美貌英俊的宝亲王。两人终于卿卿我我,有了非同寻常的关系。

母后钮祜禄氏本来就妒恨马佳氏,知道此事后,便一口咬定是马佳氏调戏了他的儿子;立即传令,唤来马佳氏,一顿乱棍,又将其拉出月华门,用绳子活活勒死。

宝亲王当时才十五六岁,这次"初恋"使他震颤,又难以忘怀。时隔多年,猛然见到和珅,乾隆心中的马佳氏似乎一下子复活了。

乾隆把和珅传进宫里,仔细察看,越看越像,于是更加思念那早已离世的马佳氏。和珅,成为乾隆情思的寄托。从此以后,乾隆对和珅加意垂怜,常常把他宣进宫来侍候。有时在御书房,还让和珅和他同榻而眠。

一"值"、一"擢",原来如此!

和珅也并非等闲之辈，懂得如何去投其所好。他知道乾隆为好色之徒，经常送美女让陛下去"临幸"。一次，和珅送上了他的妹妹和玉——更是同当年的马佳氏十分相似。乾隆当然是正中下怀，将其带回宫去，充当了一名妃子。从此，和珅俨然以"国舅"自居。

　　和珅一直做到文华殿大学士、封一等公。其弟和琳，也由生员补吏部笔帖式，历任兵部侍郎、工部尚书等职。

　　有了权，便有了势，还愁什么利呢？别人自动拍马送的，有事相求送的；自己要的、贪的、占的、夺的，终于使和珅的"私产"可与国库匹敌。真正是闻所未闻！

　　那么，和珅的发迹之迷是什么呢？拆白了，就是一张脸蛋而已。对了，就是一张脸蛋，岂有它哉！不过，要不是乾隆有过那么一段"早恋"；要不是马佳氏死得那么惨；要不是乾隆还是一个多情的种子……

　　历史，哪里又有这么多"要不是"呢？

　　话又要说回来了，和珅没有这段奇遇，又何尝会被"赐死"呢！

警惕小人

古人以"君子"称伟岸丈夫。君子若日月,光照天地,辉洒人间。他们立身如松柏,光明磊落、充满人格的力量。

与君子相对立的便是小人了。所谓小人,总有不能明说的目的与企图,妄想通过种种阴谋手段实现自己的目的。小人也知道他们的思想与行为见不得人,只能靠恶语中伤、造谣生事、搬弄是非、上窜下跳来邀功请赏,封个一官半职,讨点残羹冷炙。人世间的复杂性就在于,小人会迎合某些大人物的需要,他们察颜观色,窥测方向。正是依附着权势,小人才会张狂起来。

社会就是这么组合起来的。如若没有小人,又怎么反衬出君子的巍峨高大?如若没有小人,这个世界岂非成为谦谦君子国了?

可怕的是,对小人,总会防不胜防,不知如何发现他们,制止他们。一部中国历史,甚至可以称作"君子悲壮史"。究其原因,就在于小人捣乱。君子牺牲,还不知道暗箭是从哪个角落里射来的。

公元263年,司马昭命邓艾、钟会等攻打蜀国。邓艾捷足先登,首先打下成都。为稳定已占领的成都局势,又考虑到远郡未附,邓艾假传圣旨,为的是权且安定西蜀民心。果然,蜀土人士全部归顺。

本来就有逆反之心的钟会,妒忌邓艾之功,飞书弹劾邓艾"擅自承志",企图谋反。别有用心的司马昭接到这封书信,就让皇上下诏收捕邓艾。"明枪好躲,暗箭难防"。邓艾忙于处理各种事宜,怎料想已陷入了杀身之祸呢!邓艾接到诏书,也没去排列强兵以作对抗，真正是"束手待毙"；虽然，他也知道，被押送到京城之后也不会有逃免死亡的可能。

为了一点个人利益，不惜造谣生事，欺惑皇上，以踏着别人的尸体上一个台阶——这就是小人。可君子却一身凛然正气，大概是怎么也不会理解、想象小人的卑鄙与肮脏。事实上，邓艾也绝不会想到，这狠命的一刀，竟然来自他身边的战友钟会。

整整十年，邓艾一直蒙冤。

到了晋武帝即位，才有人上疏为邓艾喊冤："邓艾心怀绝对的忠诚而身背反逆的罪名，平定巴蜀而受到诛杀三族……"

众大臣纷纷请命，要为邓艾平反：

> 陛下龙兴，阐弘大度，谓可听艾归葬旧墓，还其田宅，以平蜀之功继封其后，使艾阖棺定谥，死无所恨。

君子终于可以扬眉吐气了（那个钟会早已因谋反被诛）。可惜，这一天来得太晚了。虽然，我们会说"九泉之下可以瞑目"等等，实际上，也不过是说说而已。

当然，为君子平反洗冤，毕竟有其特定的现实意义："天下徇名之士，思立功之臣，必投汤火，乐为陛下死矣！"说到底，平反还是做给活人看的。

这种小人置君子于死地的事在中国大地上也实在太多了。不过，外国也有。莎士比亚笔下的奥赛罗，正是因为其旗官埃古挑唆、中伤，而亲手扼杀了妻子苔丝德梦娜；事后，又因为痛悔而自尽。小人埃古害了一员大将，造成国家和民族的损失。

要想消灭小人，大概也是不可能的。"水至清则无鱼"。人类世界总伴随着臭虫、苍蝇、蚊子、老鼠之类。真的完完全全地消灭了它们，就像让人住到了一个"无菌"房，看上去是干净了，可实际上人又失去了免疫力、抵抗力。

有小人也好。第一，消灭不了；第二，也躲不了；第三，没有了小人，这世界太纯净了，岂非缺乏生机？再说，没有了小人，又让谁来衬托君子呢？

　　对小人，我作如是观。

还得自己看

公元前37年,石显专权,诛锄异己,结党自固,利用奸诈的手段骗取了汉元帝的信任。

有这么一件事。石显事先禀告皇上要到各官府督促征办之事,恐怕回来晚了宫门关闭,请求传诏开门。皇上答应了。可是,石显故意晚归,传诏开门。别的大臣不知就里,以为是石显故弄玄虚,狐假虎威,并以此弹劾石显。这一来,石显就在皇上面前表白有人与他结怨,有意找他的毛病。于是,皇上就更信任他了。

对于此事此人,东汉末的秘书监荀悦从史学家、政治家的立场出发,给予了深刻的评论。荀悦引用了孔子两段才七个字的话:"远佞人";"政者,正也"。荀悦认为,巧伪之臣对君王的迷惑是相当大的。对那帮小人,非但不能任用,而且要疏远并堵塞产生的根源。

荀悦又进一步提出,要端正自己,"夫要道之本,正己而已矣。平直真实者,正之主也"。

为什么石显会阴谋得逞?为什么石显会邀功请赏?为什么石显会宠爱有加?其关键就在于汉元帝。

就拿那件"晚归"事件来说吧,假如汉元帝能亲自过问一下,究竟什么事使石显晚归?究竟大臣们议论些什么?究竟石显想干什么?如此这般,石显的本来面目不彻底暴露才怪呢。

可是汉元帝根本没有这样去做。他对石显太相信了。

"高处不胜寒。"大凡身居高位的人,亲信人会越来越少。想真正提些意见看法的人，会怕有"奉迎"的嫌疑而作罢；想真正奉迎而图谋私利的，也得窥测方向，以求一逞。因此，在这种高位的人特别听得进好话，而且很会昏昏然、陶陶然。那么，对于他所信赖的人，又怎会去亲自再问一问、看一看呢？

正因为瞄准了这一点，皇帝周围的人牛皮总拣大的吹，诸如一个鸡蛋得要十两银子，等等。

石显的目的再清楚不过。他以皇帝为挡箭牌，并以此吓唬大臣、钳制大臣。你们要弹劾我么，好，这是公然对抗皇上！我总在想，此时的皇上如果还在金銮殿一本正经地宣告什么诏书，那个石显肯定在底下憋不住要笑出声来，因为皇帝已成为他手中的一个木偶、一件道具。可怜的皇帝还像真的一样哩。

正是从这个原因出发，荀悦反复强调，德行必须核对真实，然后再授给爵位；才能必须核对真实，然后给执事；功绩必须核对真实，然后再授给奖赏……一连十个排比句，无非是这么一个词：核实。荀悦的话也绝不仅仅是讲给皇帝一个人听的。

钱财是个好东西

货币的出现,确是一大进步。至少,人类从以物易物而进入了以货币为单位的交换。从此,跑买卖、搞运输、结算帐目、储存放贷也方便得多。我没去考证中国"钱"字出现的时间,不过,从最古老的刀币之类的问世,看来"钱"的历史也悠悠长矣。

俗话说,"有钱能使鬼推磨"。鬼怪世界也是唯钱是认,烧给死人的不就是银澄澄的"元宝"么?纸币降临人间后,阴间也通行起来。终于,冥币单位猛然飚升到1亿、10亿(1后面有9个零!),则是阳间的人始料不及的。难道冥国银行也在闹通货膨胀、货币贬值、金融危机?

有了名,利就滚滚而来。说来也简单,当官的钱财来源无非是正常与非正常渠道两大类。所谓正常,那就是财政部门发出的俸禄,或者叫薪水、工资;所谓不正常,那就不用我多唠叨了,明白人都知道。

但是,还有一种钱财来源是现代人难以想象的,那就是皇帝或上级官吏的"赐予"。

唐明皇时,奸相李林甫死后,杨国忠升替为右相。天宝十三载,唐明皇在跃龙殿张乐宴群臣。不知是这位皇帝突然高兴起来呢——人逢喜事精神爽,还是因为对杨贵妃宠爱有加,终于恩泽这位国舅爷:绢一千五百匹、彩罗三百匹、彩绫五百匹。以通常一匹为四十尺计算,那就是绢达六万尺,彩罗、彩绫各一万二、二万尺。如果真的用来做衣服,哪怕是从内衣到外衫,从帽子到鞋袜,估计杨家十代人取之不尽,用之不竭。史家对同时受赐的左相仅得绢、罗、绫为三百、五十、五十而耿耿于怀,因为两者相差有五倍之多。如此差别,一是突出杨国忠的显赫,二是增加了杨家偌大一笔财富。

当时还没有今天的期货,这是可以断定的。但又很难保证杨国忠不去进行囤积,奇货可居,抑或贩卖、投机倒把之类。因此,这是一笔令人咋舌的钱财。

如何搜括民脂民膏,我们见得不少。不过,宋代绍兴三十年间在印刷纸钞过程中的贪污舞弊,也真令我们现代人自叹弗如。

钱端礼为户部侍郎时,委托徽州造纸钞五十万,边幅都不剪裁,分发给当朝官吏。可是,妙就妙在又于京城交通道设立交换场所。每一千纸钞可换得十钱,所得钱可以发给"吏卒"用。可是不久就一片混乱,这类纸钞越来越多,可是钱却越来越少。不到十年,所得钱只有原来的十分之一。皇上知道后,出内府银二百万两来堵这个漏洞,试图焚毁纸钞。未料想再过几年,已是七百五十钱换十千张这样的纸钞,比原先猛涨七十五倍。

令人想不到的是,市面上竟又出现相当数量的莫名其妙的假钞票。

此事整个过程简直就是一出闹剧。纸钞本可产生各种方便,竟至于纸钞泛滥成灾,而造成我们今天所说的货币危机、纸币贬值。

从一开始的出发点,我们就可以发现,说什么换来钱给"吏卒"用,实在是旁门左道,替大官们开设一个小金库而已。

终于,弄得一败涂地、不可收拾。皇帝也哀叹:为此事"几乎十年睡不着"。

如此混乱不堪,无非是想多捞钱而已。

难道宋代绍兴年,"吏卒"的工资也无法开支,而要用这荒诞不经的"纸币换钱"来支付吗?

拆穿了说,从上到下,只是为了一个"钱"字!

有钱多好呀!美味佳肴、亭台楼阁、置田买地、拥妻纳妾;再不,就是玩戏子、游山川,做个风流"财"子多潇洒。

问题还在于,凡夫俗子的"赚"钱需要的是力气加脑筋,乃至冒险。而为官不仁者呢,一纸一件,大笔一挥、裙带关系,真是得来毫不费功夫——那多惬意呀!

虽然,司马光在《资治通鉴·宋纪》中记载了北魏主拓跋焘曾说过"财者军国之本,不可轻费"之类的话;但是从皇帝到大臣又有几个这样做了呢?

销售伪劣品有罪

台湾作家高阳,写出了二百万字的巨著《胡雪岩全传》,玲珑剔透地描叙出胡雪岩发迹的全过程。书出版后,有相当一部分人请高阳谈谈经营发财成功的秘密。高阳曾从政治、商业及胡雪岩的人品等方面作了分析。

胡雪岩走上峰巅有一关键,那就是左宗棠奉命去西北剿"乱",胡成为他在上海的"转运局局长",负责提供枪械弹药、军粮及其他军用品。为此事,胡的确也殚精竭虑;当然,也大大捞了钱。

大批南方人乍到西北,气候、环境不适,药品也成了大问题。胡雪岩又自办药店、药厂,专门配制秘方,生产诸葛行军散、还魂丹、消暑丸等等。对制药的每一环节,胡都亲自过问,叮嘱再三。为防假冒,胡又在杭州、上海、南京及全国主要城市开出药店,自产自销一条龙。终于,这一行当也声誉鹊起——胡庆余堂至今还是被人啧啧称道的百年老店。

写到这儿,本文的意思已经出来了:胡雪岩经营成功的原因之一,就是讲质量、保信誉;他不去销售社会热门商品,严防假冒伪劣品的侵入。从这个意义上说,胡雪岩有眼光、有魄力,他没去追逐蝇头小利。

还是回到现实中来。从电视中看到棉花包中夹杂石灰、黄沙甚至砖块,真是骇人听闻,触目惊心。假名烟、假名酒、假名鞋、假……或者一把火、或者压路机碾过,是干脆了、是痛快了,据说,生产假冒伪劣品者也判了、也罚了。但是假冒伪劣品还是充斥市场,也很少见到销售假冒伪劣品者受到惩处。

产、供、销一条龙,似乎还少气魄;生产者总得找营销者。鄙人不从商,不懂其中奥妙。在我的想象中,摒弃正宗厂家,愿意接受伪劣品,无非是"提成"比例的提高。正常的假设为30%销售利润;销售伪劣品可以有50%甚至70%利润,于是皆大欢喜。

其实,七大姑八大姨兜上门来的转弯抹角关系,本身就有其险恶用心——说到底就是拖人下水、栽赃纵容——从这个角度讲,销售伪劣品者实在有罪。遗憾的是,我们很少看到有如此行为者判了罪。这个"流"不堵的话,"源"就有了出路。此中道理,明晰清楚。

马克思说过,为了千百倍的利润,有人会冒上绞架的危险。目睹眼下,大有人在。比比当年的胡雪岩,那真差了一大截。

知遇报恩析

也许是上帝安排的,当中国大地上有了一位光耀千古的圣人孔子时,西方也出现了一位哲人柏拉图。时间上几乎差不多,可两人生前的境遇却大相径庭。孔子是惶惶然如丧家之犬,为推行自己的学说与主张、入世出仕而奔忙一辈子;柏拉图却是办校讲学,网罗人才,政治寡头不得不另眼相待。于是,中国的知识分子总也不能独立出来,且不得不依附于官员当局,起一个出谋划策、抑或自己戴起乌纱帽的角色。西方的知识分子是以咨询员的身份出现,与政府或对抗、或合作。从这个角度讲,中国的知识分子是可怜的。毛泽东一针见血地指出:皮之不存,毛将焉附?这儿,知识分子只是毛,它总得"附"——真正是一语中的。

天下大乱,群雄纷起;天下太平,国泰民安。反正不管是什么情况,头脑清醒、有远见的英雄豪杰,他们深知马上不一定能得天下,马上更不能治天下,终于,他们礼贤下士了,他们三顾茅庐了。

那么,这时候的读书人又会如何呢?

"学得文武艺,货与帝王家。"从"公"的角度讲,"天下兴亡,匹夫有责",只有投身于官僚集团,才能施展自己的政治抱负;从"私"的角度讲,飞黄腾达,出人头地,不负自己十年寒窗辛苦,也只有当官这条路了。有了权,也就有了名、也就有了利,还愁什么呢?

可是,官场的险恶也使读书人手足无措,那么"出世"观念、看破红尘、六根清净云云,就会冒出来对破碎了的心作一番安抚。

中国读书人心态之一,那就是知遇报恩。

远的不说了,诸葛亮之所以会受到历代帝王的欣赏,我想,其根本原因就是他成了知遇报恩的楷模。坐龙椅的、坐金交椅的,多么希望底下的谋士官僚个个都成为知遇报恩的忠实执行者呀。至于他们本人是否具有刘备那样的诚挚,这是不用去考虑的。

那么,又该如何去知遇报恩呢?

公元571年,北周汾洲刺史杨敷被北齐军围困在定阳城。由于粮草断绝,援军畏敌不救,杨敷无可奈何只得率兵突围,终于被敌军所杀。

杨敷的儿子杨素,年少而才干出众,胸怀大志,不拘小节,自以为他的父亲忠于职守,献身后不曾蒙受皇封谥号,因而上表申述道理。周主不肯答应,他再三上书,周主大怒,命令左右推出斩首。杨素大声说道:"为臣替无道的昏君做事,死是必然的!"一番大义凛然、慷慨陈词,竟然打动了周主。于是,追封杨敷为大将军,赠谥号为"忠壮",任命杨素为仪同三司参执政事。周主日益礼遇杨素,使杨素知遇报恩、感恩戴德。皇上命令杨素起草昭书,杨素下笔成章,而且辞义兼美。

故事说到这儿,也许就是明君贤臣的一段恩怨罢了。令我感兴趣的还是他们的一次对话。

皇上对杨素的才思与辛劳大为赞赏,他对杨素表示:"你要勤勉努力,日后不愁不富贵。"杨素却说:"我只怕富贵降临,我实在无贪图富贵之心。"

这就表明,真正是知遇报恩的,他们不会再图什么另外的奖赏。能信任、能放心、能礼遇,已经足够了。

也就在差不多的时候,北齐的国子祭酒张雕传授经书给齐王。作为皇上的老师,皇上非常敬重他。张雕又"加开府仪同三司",并负责朝中的一切财政开支费用,更受皇上的信任,而被称为"博士"。张雕却始终以为,自己出身"微贱",位重大臣,"欲立效以报恩"。张雕的报恩具体表现在:言辞高昂无所回避,节省宫中开支,限制左右骄纵之臣,甚至多次讥讽朝中贵宠权要,"以澄清为己任,意气甚高"。我想,为了皇上,为了江山千年,似乎也应该有这种知遇报恩的想法与具体的做法。

相反,也有"报恩"只是一味地献媚、奉迎,以图官升三级。到头来,只能是害了自己,也害了礼遇人。

不过,知遇报恩还得看看是什么人。有时,弄得不好,却走向了自己愿望的反面。张雕就是一个例子。

由于耿直,张雕得罪了朝中一帮大臣。终于,他们沆瀣一气,诬陷张雕等一伙人蓄意谋反。皇上竟然相信这种谣言,而将张雕等人处死。当然,这个皇上也没好下场。四年之后,北齐被北周消灭,齐主成为阶下囚。

"毛"是被"皮"吸引过来的;"毛"感谢"皮"的发现,表示忠心耿耿一辈子;可"皮"还是抛弃了"毛",这可怎么是好?说白了,知遇报恩也是一种可怜,真的,是可怜。

先予小利,再得大利

老子有云:"将欲夺之,必固与之。"即不予"小"利,怎取"大"利?所谓"小"利,无外乎黄金、美人、屋宇;"大"利,即有官位、爵位、国土。两相对照,当然是以"小"换"大"合算得多。

可惜,世人多为"近视眼",看顾的往往是鼻尖底下的一点利益。"大"利当然要夺,先给"小"利是舍不得的——当然,最终是"大"利也别想染指。这大概又叫做失之交臂,悔之晚矣。

翻读历史书,我佩服那些政治家、军事家、外交家,他们常常是"生意场"上的好手,先付出一点"小"利,取得的往往是难以估算的"大"利。

这儿就有一个现成的例子。

刘邦死后,吕后篡权,诸吕势力越来越大。身为丞相的陈平无能为力,也无可奈何。为了避免杀身之祸,他整日不理朝政,闭门不出,心中却怎么也不能平静。太中大夫陆贾前来拜见,一直走到他的房内坐下,陈平也没注意到。陆贾对陈平说:"你在考虑什么呢,精力这么集中?"陈平却要他猜猜看。陆贾说:"足下官至丞相,富贵到顶,不会再有别的欲望;然而还有忧虑,不过是担心诸吕威胁年少的皇帝罢了。"

两人一拍即合。陆贾就给陈平出主意:关键是丞相与大将军团结一致。大将军者,周勃也。由于劳苦功高,周勃也不把什么人放在眼里。陈平决定放下架子,首先拿出一点"小"利,"乃以五百金为绛侯寿,厚宴乐饮"。也许是礼品打动了周勃,也许是吃喝联络了感情。周勃也用同样的方法回敬陈平。其结果是:"两人深相结,吕氏谋益衰。"陈平没忘掉陆贾谋划有功,就"以奴婢百人,车马五十乘,钱五百万遗陆生为饮食费"——大概是交际费、中介费之类吧。

历史学家们会充分肯定陈平在刘邦以后汉王朝政权巩固中的重要作用;否则,历史会重写,汉王朝还不知会有如何的结局。不过,我以为,假如不是陈平拿出"五百金"为周勃作寿,又以丰盛的酒宴多次款待周勃,"将相"不和,那么诸吕就有可乘之机了。

问题还在于,周勃大概也不会在乎这点黄金与几次宴请,首先,他是被丞相陈平放下架子的诚意所感动;其次,他本身也有巩固刘家天下、不容诸吕篡权的思想。因此,从这个角度讲,"小"利至多只能算是一种形式罢了。

这儿说它是形式,还是要考虑到形式的不可忽视性。

也是在汉代。渤海一带闹饥荒,盗贼并起。有人推荐龚遂为渤海太守赴任处理。龚遂到渤海郡边界驿站后随即命令:"全部撤回捕捉盗贼的官吏,凡是手持锄头、镰刀、农具者皆为良民,官吏不得问罪,继续手持兵器者,按盗贼处治。"龚遂单车独行到郡府。"盗贼闻遂教令,即时解散,弃其兵弩而持钩、钼,于是悉平,民安乐业。"这还不算。龚遂又开仓放粮,赈济贫民;选用良吏,安抚百姓。"乃躬率以俭约,劝民务农桑"。

应该说,渤海太守龚遂的施政已不是"小"利之类了。但是,他以宽济待民,先让贫民吃饱肚子——如果说对农民本身是获得小利的话,那么,最终人心思定,又有什么样的问题不能解决呢?

待人接物应有互"利",才会有以诚相见的大"利"。管理经济、政治,实质上是一样的道理。"拔一毛利天下而不为"——最终将是无利,这一点应该可以断定。

官商结合，权钱交易

在港台文学的评论和介绍中，人们耳熟能详的是武侠、言情及一些"纯文学"作品。其实，创作历史小说的著名台湾作家高阳，应占有一席地位。

高阳的代表作《胡雪岩全传》从乾隆到慈禧，再到北洋军阀，勾勒出清王朝由盛到衰直至覆灭，以及中国现代史的开端。他的创作最显著的一个特点，那就是在历史画卷中，让人物得以再现。

小说开始，胡雪岩还是个二十岁左右的少年，在一家钱庄当学徒，由于用钱庄的五百两银子资助了正一筹莫展的王有龄到京城去"改捐"而被钱庄撵了出来，在饭店门口吃那"门板饭"。

可是没经过多少年，胡成为清王朝独一无二的穿黄马褂、顶戴红珊瑚的二品大员，金银财宝不计其数，钱庄由杭州到北京达数十家，胡庆余堂药店也遍及各大城市。当年，他的狭窄陋室，变成了高官显宦也艳羡的豪华宅第。这还不算，胡又造了一座供养十二个太太（摹仿"金陵十二钗"）的"百狮楼"，栏杆柱子上一百个狮子的狮目用黄金铸就，映日耀眼，令人不可逼视。胡的飞黄腾达、骄奢淫逸，真是不可一世，有如魔术。

高阳用他那洞察历史的笔，沿着胡雪岩逐步发迹的路，为我们揭开了内中奥秘。

小说开头出现的那个穷困潦倒的王有龄，得到胡雪岩资助走上"仕途"后，巧遇当年他父亲教养过、如今是户部尚书并做"钦差"

到浙江杭州查询案子的何桂清，于是顺利得官。他没忘掉胡雪岩。就此，胡在官场上有了靠山。很快，胡的"阜康"钱庄开张。他又利用王有龄的"海运局"在"漕运"中左右逢源。太平军、小刀会的反清斗争风起云涌，胡又同外国人勾结，做起贩卖军火的勾当。太平军围攻杭州城，作为一城之督的王有龄百般无奈，自缢身亡。胡雪岩又同左宗棠联为一气，出谋划策，筹措军饷，并为左宗棠的洋务事业与外商谈判，借得巨额资金……终于，左宗棠极为器重与欣赏他，出奏保荐。

胡终于登上了他的顶峰。

在日薄西山、气息奄奄的清朝末年，胡雪岩的出现，是"官商"结合的一个典型。本来，中国传统文化、封建官僚极为鄙视"商"。可是，随着商品经济的发达，随着封建统治的衰落，对商的抑制已是江河日下。清王朝的"捐官"盛行，按银两多少，买官位的大小，实质表明，连官位都可以作为商品出卖了。

在中国这样一个"官本位"的国家，胡雪岩深深懂得，"官中有人好发财"。一旦王有龄有了权，胡就紧抓不放，阜康钱庄刚开张，胡就立了官员眷属十二个拆单送上门。秉承官员脸色行事，充分利用官员权势，这就使胡雪岩一路顺通，直到取得左宗棠的信赖。

因此，胡雪岩不是一般的商人，他是"官商"的混合物——还是个二品红顶的大人物呢！

小说中，我们曾看到胡雪岩与妓女阿巧姐情意缠绵、恩爱有加，并考虑到娶她为一房，或者放在当地立一门户为"两头大"。可是，胡发现何桂清看中了阿巧姐以后，虽也有某些不快，但他毅然决然将阿巧姐"送"给何桂清。胡雪岩表露的是"君子成人之美"；其实，读者可以发现，胡为的是博取何的喜欢与倚重，他不会为了一个女人去得罪一个官员；当然，他付出了一个女人，得到的将是更多、更多……

左宗棠到西北镇压捻、回起义，胡雪岩又充当了他的上海转运局局长。军饷、军火、粮食、白银,全部由胡来承担。胡发现,军队还需大批药物,于是自己开药厂、药店,再送往西北。胡从中发了一大笔财,又博得好名声,真是名利双收。

其实胡雪岩正是一个官商人物。在官位与财富之间,无人可以匹敌,表现出权钱交易勾当的巨大力量。我觉得,高阳并不是从概念中来塑造胡雪岩的。相反,高阳也重彩浓笔地叙写了胡的个性。

小说一开始就这样介绍胡雪岩:生得一双四面八方都照顾得到的眼睛,加上一张常开的笑口,而且为人"四海",所以人缘极好。所谓"四海",是南方人一句口语,即为人大方、不斤斤计较。

对王有龄的资助,本是挪用了钱庄的借款,因而受到离开差使的斥责。可是当王有龄衣锦还乡,本可以拿驱赶胡的"信和"开刷一下时,他却拒绝了,并对王有龄表示他"不必去了",又要王有龄到"信和"还上五百两银子时,"捧信和两句"——王有龄不由得从内心深处称赞其为人"漂亮",是个可依赖的朋友。

当初,确有人给胡脸色看,甚至有人落井下石;可是,胡后来非但没有报复的念头,相反还恩礼相加。难怪他的一些同伙称赞他"倒霉"时,不会找朋友的麻烦;他得意了,"一定会照应朋友"。作为胡的个性,他还充分懂得怎样利用别人。那个对他曾经并不友好的张胖子,如今是惶惶然;而胡非但不提往事,还借他钱庄"大伙"身份,做成一笔大买卖。

为人"四海"、出手"四海",几乎成为胡的个性特征。但是,正如他自己坦言的,他的一切,就是为了大把大把地搂钱。因此,从某种程度上说,他的"四海"最终又为他赢得了更大的利润。从这个角度讲,胡雪岩不是中国小农经济式的商人、也不是封建地主式的商人。他不计较蝇头小利,他不在乎眼前小利;胡是大把出去,又大把大把进来。因此,这种性格具有明显的金融资本家的特点。他们懂得投资、懂得放蓄,最终会有成倍、成倍的新收入。

小说也表现出胡雪岩的干练、决断与足智多谋。王有龄受指派去镇压新城抗粮。一个捐官有什么本事去处理这种大事？还是胡雪岩，知道当地有个官员嵇鹤龄恃才傲物，却是能说会辩。胡献计采用激将法，又妥善地安置好嵇的六个小孩，还为他送上一个填房。"硬、软"二手，使嵇大为感动，终于解决了新城抗粮，又与胡结为莫逆之交。

作为有鸿图大志的胡雪岩，虽是左右逢源，倒也头脑十分冷静。在他刚刚初战告捷时，与船工之女阿珠情投意合，多次想得到阿珠。但是，胡又不断提醒自己：交运之际有"桃花运"并非好事；同时，他也不明白自己的母亲、太太又将如何看待；为了事业，他让阿珠爹当丝厂老板，又将阿珠说配给他的一位干将陈世龙。显然，在事业与感情（情欲）的角逐中，他选择了前者；也许，这里也付出了痛苦的代价。

小说中，尤其是前几部，我们还多次看到胡雪岩的自省："自己有在辞令上咄咄逼人的毛病，处世不大相宜，倒要好好改一改。""短短半年，经手款项已有五十万两银子之多，岂不太顺当？"……一个有目标，有心计，又有自省心的人物形象跃然而现。

但是，胡雪岩最终还是失败了。左宗棠与炙手可热的李鸿章因为海防与陆防等原因相互倾轧而闹开了。老谋深算毕竟比暴躁火烈来得合算。李鸿章先砍左宗棠的周围。胡雪岩在官场的角斗中，很快一落千丈。种种客户、储户都找上来，胡氏钱庄怎么也挡不住了。胡雪岩输得很快也很惨，家产、房产变卖，姨太太遣送，他最宠爱的管家婆罗四太太还自杀身亡。

历史真会捉弄人。胡雪岩依仗官场发财致富；而官场又逼迫他一败涂地。是历史——中国清王朝的历史，造就了胡雪岩，也捉弄了胡雪岩。

以官诱人

实实在在地说,凡是有人群的地方,总得有人出来管理。所谓管理,那就是该怎样干活、怎样生活,甚至怎样走路、怎样出操。但这些可能还好些。还得有人来处理诸如吵架、斗殴以及与外界的冲突,乃至战争。

一般而言,出头露面做这些事的,在我们中国就称为"官"。

官者,上至一品宰相,下至九品芝麻官,可谓等级森严。不过,越是大的官,管的事就越是多,也就越是辛苦。那么,该给大官更多的俸禄,也是人之常理。

不过,事情坏就坏在常常会走向反面。社会种种人向往当官,并不在于付出更多的代价;恰恰相反,官大一级,享受也就上了一个台阶。因此,芸芸众生垂涎当官、当大官也就可以理解了。

也许是基于这种心理的了解;也许是早已把准内在奥秘,当官者无不又以官诱人。事情倒也简单,官位,代表了名利,代表了财势、妻子,代表了祖宗庇佑,代表了……

哪一个当了官的人对擢拔他的人不感激涕零呢?于是,多了一个听话者,多了一个执行者,多了一个感恩戴德者——那是多好呀!

对于这一套,中国历史上某些人真是运用得娴熟自如,得心应手。

宋朝蔡京,曾有人讥为"枕官职如粪土"——且慢,这绝不是

"六根清净"、"四大皆空"的意思,而为的是用皇帝赐的爵位当作个人恩惠在出售。

妙哉!真是一语中的。

且看蔡京如何"市私恩":政和六年十月,不因赦令,侍从以上先缘左降同日迁职者二十人;其中学士、待制等均为当朝大官。当然,这二十名"从天而降"的大官,怎么不会牢记蔡京的恩惠呢?

如果说仅仅提升一些人当官以卖弄个人感情还得堂而皇之又一本正经的话,那么卖官位就十足是场钱、权交易了。

我们都熟悉清王朝慈禧时期卖官位的事,且有明码标价,诸如九品、八品、七品各银钱多少两,县太爷又值几许。此等滑稽事正是完完全全、彻彻底底表明了满清王朝已走上了穷途末路。

查查历史,不对了,早在汉朝灵帝时就已公开卖官。这是灵帝光和元年,标价为:

> 二千石的官职售价为二千万;
>
> 四百石的官职售价为四百万;
>
> 公位一千万;
>
> 卿位五百万。

对德行较好者,可按次序或减半、或以三分之一的价格出售。

从表面上看,汉灵帝之所以这样做的目的是将钱"以为私藏"。

我倒觉得,这未免小觑了汉灵帝。说白了,汉灵帝深深懂得其中诀窍。不明不白弄来的官位,岂非朝不虑夕?再说,大家都上了这条船,又怎能洗干净自己的手?于是乎,终于成为一条线上的蚂蚱,一根藤上的瓜。这就叫做你中有我,我中有你。

至于卖官化费的赫然钱数,可别担心,运用祖传"秘"方与"公"方,岂有捞不回来之理?

有一点是肯定的,这样的官死心塌地、忠心耿耿对待给他官位的大官将持续相当长的时间。

那么,对那些确是立了功、打了胜仗的是否可以提拔、擢升呢?

唐肃宗时的李泌尖锐指出，"赏功者多以官"是万万不行的。因为"官赏功有二害，非才则废事，权生则难制"，真正是言简意赅，击中要害。李泌亲眼目睹了"功臣居大官者，皆不为子孙之远图，务乘一时之权以邀利，无所不为"。

"卖官"考

有道是"一朝权在手，便把令来行"。这个"令"包括了对下级官员的任免权，谁敢小觑这"权"的厉害？可事情也麻烦。你对我眉来眼去，我对你提携重用，手续一道道、利益均沾又属"期货"——还得等你发了财不可，岂非"白了少年头"？干脆，还是"卖官"！

先从眼鼻子底下一件事谈起。

江西省某县有个姓郑的县委书记，此人任职不久，当地就流传这样一句话："要当官，找郑某某。"一家羽绒厂厂长为了提拔、调动工作，先后用公款送给郑9.44万元。某人想当官，送郑6000元，结果当然是如愿以偿，升任法院庭长、科长。

也许，这样"送"、这样"求"，郑书记还觉得太麻烦，终于是或暗示或公开地索要，再回报一顶顶"乌纱帽"。某人为乡长，极想再兼个书记，来个党政"一肩挑"。郑先是流露出可以考虑考虑的意思，随即却沉下脸，说是你私自外出搞工程赚钱……此人心有灵犀一点通，赶紧奉上3.5万元，很快成了炙手可热的"一肩挑"干部。全县30个乡镇中有18个乡镇领导给郑送钱"买官"。据统计，郑"卖官"得利达14万多元。此桩"卖官"丑闻为建国以来所罕见，经新闻媒介披露后，国人为之震惊和愤慨。

乍一听郑某某"卖官"，许多人还以为是"天方夜谭"。中国的老百姓真是有着朴素的感情，他们以为，什么都可以卖，可是，官位又怎么可以卖？实际上，在中国封建社会里，"卖官"已是屡见不鲜，屡禁不绝。

北齐王朝时,有一大臣和士开,由于巧言令色,又与太后私通多年,在朝廷肆无忌惮,权倾天下。和士开公开卖官。上至郡县一级的官职,下至乡间小官,都标出一定的价目,不论德才如何,给多少钱,便做多大的官。当时不少豪门子弟、富商大贾,为买得一官半职,纷纷投奔于和士开的门下。这些人花钱买得官职,一上任便加倍搜括民脂民膏,"所在征税,百端俱起",引起一片怨恨声。

明王朝末年,崇祯帝吊死煤山。一批南逃的明朝官员在南京拥立福王朱由崧即位,建立起南明弘光政权。由于拥戴有功,原为明王朝兵部右侍郎的马士英出任内阁首辅掌管南明朝政大权。马士英为掠夺财富,借"助军兴"为名,将官职公开标价出售。他首先请免府州县生产应试,民户分上、中、下三等纳银,上户纳银六两,中户四两,下户三两,竟送学院收考,而以纳银多寡定名次。廪生纳银六百两,武英殿中书纳银九百两,文华中书一千五百两,内阁中书二千两,待诏三千两,拔贡一千两,推知衔二千两,等等,结果是,"买官者大县多至二十余家,少亦有数家"。

至于满清王朝后期卖官事更是人们耳熟能详。《官场现形记》、《二十年目睹之怪现状》有十分详尽的描写。那个大名鼎鼎的"红顶商人"胡雪岩,就是因为资助别人用钱"捐官"而达到"官商结合",显赫一时。

"买官"者,必然是狠命捞,拼命捞,非但要赚回本钱,还得大肆搜括——自己也"卖官",以便用更多的钱去买一个更大的官。如此这般,"买官——卖官"恶性循环,难以自拔,岂有它哉!

问题的严重性还在于,"卖官"又极大地败坏了社会风气,人民群众怨声载道。就在马士英"卖官"盛行时,老百姓编出一首歌谣:

　　　　中书随地有,都督满街走;监纪多如羊,职方贱如狗;相公只爱钱,皇帝但吃酒;扫尽江南钱,堵塞马家口。

如此看来,郑某某哪是什么共产党的县委书记?他分明是个贪官、赃官,是个封建官吏的衣钵继承者。在他身上,哪有一点点共产党员的气味?

问题的根源还是出在郑某某太想钱了。从数千元到数万元,郑某某的"官价"日益涨大。也许,一开始他是缺钱用,譬如老家造房子等钱,可是,一旦开了这个"缺"口,"胃"口便会越来越大。俗话说,"人心不足蛇吞象"。郑某某要不是东窗事发,他要吞下的恐怕远不止是"象"呢。

问题的根源还在于权力太集中,缺乏应有的监督。连县政法委副书记的官位都可以出卖,可见该县的权力已"集中"到什么样的程度!本来,县委一班人、副书记、常委,另外有纪委,任免干部有组织部……可是,广丰县这套机构、这套人马都到哪里去了呢?难道这套人马也是郑某某"卖"出的"官"而噤若寒蝉了吗?没有监督的权力将会是腐败的权力,郑某某的"卖官"是有力的佐证。

虽然"卖官"源于封建社会,郑某某只是一种回光返照;可是,郑和他的"前辈"的下场又是惊人地相似。

和士开终于在一次早朝途中被埋伏的士兵抓获,押至治书侍御厅。蓄谋已久的都督等人即将和士开推出斩杀,并派兵抄没其家。这时,胡太后想帮他忙也为时太晚。怪谁呢,和士开积怨甚多,令人发指。

弘光元年五月,清军攻入南京,建立仅一年的弘光政权宣告覆灭。弘光帝逃出南京后被清军捕获,斩于北京宣武门外柴市。马士英逃至台州(今浙江临海)寺庙为僧,后投降清廷。不久,清军还是将马士英等人斩于延平(今福建南平)城下。

当然,郑某某最终也被司法机关依法逮捕,锒铛下狱。这叫做什么呢?我想起中国两句古话:"多行不义必自毙";"天网恢恢,疏而不漏。"

罢退与晋升

李世民即位后,开始了唐代乃至中国历史上著名的"贞观之治"。构成这一大好形势的原因是较为复杂的;其中一个方面在于当时的最高统治者李世民。李世民之所以成功的原因也很多,其中如何利用手中赏罚大权来处理罢退与晋升问题,不能不引起后人的重视。

唐太宗的龙椅坐不多久,他的亲近之臣争官日甚。李世民天下为公,以功论赏,择贤而用,毫无所私。一次,皇上当面封赐有功之臣长孙无忌等人的爵位与封地,命令陈叔达在殿下宣布,并且说:"朕按功次封赏众卿,或许有所不当,应该各自讲一讲。"于是,诸将争功,纷纷不息。淮安王李神通(皇叔)说:"为臣在函谷关以西举兵,首先响应起义,如今房玄龄、杜如晦等人专会弄文舞墨,功居为臣之上,为臣私下不服。"皇上说:"义旗初起,叔父虽然首先举兵响应,也是为了自我营救、避免灾祸。当窦建德吞食山东之时,叔父你全军覆没;刘黑闼再合余党而战,叔父你望风而逃。房玄龄等运筹帷幄、坐安社稷。论功行赏,当然应该排在叔父之前。叔父你乃是朝廷的至密之亲,我的确无比的敬爱,但怎么可以行私恩滥与赏赐呢!"此语一出,诸将官心服口服。

从一般的角度看,作为率兵起义的将领,又是李世民的皇叔,不论怎样都是"头功";可是,李世民却从实际出发,并指出了皇叔本人的一些问题,定其功劳在别人之下。

这种出于公心的晋升（赐爵位）等，显然抚慰了大家的心，而使众人更忠于李世民。否则，肯定是适得其反。

如何正确处理好罢退与晋升的问题，既使现有人员更加兢兢业业，又使更多的人才蜂拥而来，说到底，就是进一步巩固、发展政权，这真正不是一件小事。

对这个问题，历代政治家、思想家都有大量的论述。晋武帝时，曾诏命河南尹杜预拟定罢退与晋升官员的标准。杜预有过一个详细的阐述："古时候的罢免与晋升，主要靠公心去衡量，不拘泥于法、文规定，及到世事衰亡的时候，因失去长久治理而专门考求细微，犹豫不决就听信左右耳目，怀疑左右耳目就相信书面奏文；奏文愈多，官场就愈虚伪……"

如此看来，杜预是将罢退与晋升的机制衰退看作为头号大事了！

杜预也谈出了罢退与晋升的标准：委任显官，各自考察所属官员，逐年考核等次，对本人指出优劣。如此连续六年，由主管人员汇集，抽查落实，六年来优秀者可越级提拔，低劣者罢免，优多劣少者平叙，劣多优少者降职……

可以说，这是一个较为系统的官员"优升劣退"的标准。

"为官一任，造福四方"。现代哲人说过，路线问题确定之后，干部就是决定的因素。如何选择干部，如何罢退与晋升干部，牵涉到一个政权的巩固与否。

说到底，罢退与晋升官员，实际上显示了当局者的眼光与为政水平。亲小人、远贤臣；不看政绩、只听好话；被奉迎、拍马、溜须所迷惑，等等：其中既有眼光问题，更有私利作怪。

当只想到自己，只想到个人"荣辱"，只想到自己周围几个人，罢退与晋升的事又怎么会公平合理而行之有效呢？

这方面的教训实在太多了。历史上每个朝代的兴衰几乎都与此有关。中国古代先哲这方面的论述也是大量的，可是，后来者又有几个能听进去呢？

　　崇祯皇帝将绳索套进自己脖子时，这才悔恨交加。可是，一切已经晚了。

"赏罚,政之柄也"

手中有了权,应该如何使用——这是当局者应该十分谨慎的问题。中国古代哲人曾以十分简明扼要的语言明确指出:"赏罚,政之柄也。"说此话的便是汉献帝时的秘书监、侍中荀悦。

荀悦少年好学,通达《春秋》,性格沉静。当时的献帝,早已被曹操"挟天子以令诸侯"。荀悦目睹此状,深觉无奈,于是闭门著书,欲使皇上借鉴。他著有《申鉴》五篇、《汉纪》三十篇。

限于篇幅,不能详尽披露荀悦的政治观点与主张。但是,他始终抓住"赏罚"做文章,突出"荣辱者,赏罚之精华也"。政权大事,头绪繁杂,究竟何处是"抓手",也一直是当局者所思考的问题。荀悦突出了如何"赏"、如何"罚",的确是涉及到了政权的要害。

对于干了好事、出了好主意、给大众带来利益的,当然应该"赏"。赏是手段,实际上又是倡导正气,树立新风,让大众学有楷模。对干了坏事、败坏风气、有害于人民大众的,就应该"罚"。罚是制裁,也是处置和赎罪的手段。所以,荀悦讲得很明白:人主不能随便进行奖赏,这并不是爱惜财物,因为奖赏不当,就会使干了好事的人得不到真正的奖励与表彰;同样,不能滥用处罚,这也并非是同情或者怜悯,因为处罚过滥,却对真正应该受惩处的失去了作用。

纵观一部中国历史,盛衰荣辱,莫不与赏罚正确与否有很大的关系。

晋代后期，八王乱政，引来五胡入侵，石勒就是其中之一。他率领羯人起义，起初投靠汉王刘渊，后来又自立为赵王。石勒死后，石虎废嗣为王。他任用秦公韬为太尉，与太子石宣批阅尚书省的奏章，独断专行，自决奖赏和处罚，不再向赵王奏报。大司徒申钟进谏赵王说："赏刑者，人君之大柄，不可以假人。"实际上，还是抓住政权实质的一个方面：赏与罚。申钟的意思很明确，赏罚处置之权不能随便给人。从现在起，就应当"防微杜渐，消逆乱于未然也"。

　　为什么赏罚不能拱手相送？我想，一是可能滥施，该赏的不赏，该罚的不罚，以致好坏不分，良莠不辩，而使风气败坏。其次，赏罚给了人，当局者不是"架空"，就是"失控"，乃至大权旁落，如此下去也就会迟早下台，因为"赏罚，政之柄也"。

　　赵王石虎听不进大司徒申钟的进谏，过不多久便垮台了。

　　对于这个问题的阐述，我以为东魏时期的杜弼说得更为深刻。杜弼曾在丞相府做事，颇有名声；后来升任为廷尉，主管法律刑狱。一次大将军高澄任用廷尉卿杜弼为军师，兼管军纪处罚。部队临出发之前，高澄问杜弼处理政事的要领，并要求他把必须注意的事项摘录一二条。杜弼请求以口陈述："天下大务，莫过赏罚。"接着，他很简单地以一句话加以说明：奖赏一个人能使天下所有人都欢喜；处罚一个人能使天下所有人都害怕。如果在这两方面不出现失误，政事的处理自然会尽善尽美。

　　我想，话讲到这一层，也就不用我来饶舌了。

　　不过，还是晋代时期的西凉公李暠在著名的《戒子书》中，将赏罚不当的严重性分析得更为透彻："从政者应当慎重地对待奖赏与处罚，不要凭感情确定爱憎，要接近忠正之人，远离阿谀奉迎之人，不要让左右下属私下弄权作福，遇到下边诋毁和赞誉的言语，应当研究核实真伪……"

　　其实，依然是"赏罚，政之柄也"的意思。

赏与罚,升与降

为官者,大权在握。其政治的清明与否,也要看一看能否正确处理赏与罚、升与降。勇猛杀敌、为民造福、敢于牺牲自己者,上司当然应给予表彰或金钱实物,以作表率;所谓"榜样的力量是无穷的",就是以此树立效尤的楷模,期待出现更多的英雄与先进。对畏缩逃遁、敷衍塞责者,就应不留情地处罚,这也是杀一儆百、以观后效的意思。同理,提升下属,乃至罢免、撤职,也都是为了使事情做得更好些。

问题的复杂性就在于,有时对下属不一定能从实际出发。这儿又有两种因素在起作用。一是个人的恩惠,或亲友、或师生、或同乡,乃至收受了某种利益好处,那么,赏与罚、升与降难免会受到干扰而作出歪曲的判断。二是各种七拐八弯的关系交错复杂,难免捉襟见肘,所谓牵一发动全身,只能如此,只能作罢。

还是看看古人是如何处置赏与罚、升与降的。

曹操,京剧舞台上的白脸奸雄,按鲁迅的说法,"至少是一个大英雄"。群雄并起时,陇地一带叛乱,占据二城。曹操多次派兵进讨,皆无大成效。曹操意欲亲自出战讨贼,中书令袁翻进谏而被制止。另一幕僚辛雄却上书点出了问题的症结:这就是如何做好赏与罚。

辛雄慷慨陈辞,认为人之所以临阵忘死、接触刀枪而不胆怯的原因,一是为了求得荣誉名声,二是贪图重赏,三是害怕刑罚,四是为了避免灾祸。辛雄深知曹操的脾性。他先是从一般士兵打仗的心理研究出发，然后是正面谈论如何做好赏罚——这才是他"上疏"的关键。

辛雄说，败多胜少，究其原因，全是"不明赏罚之故也"。将士们的功劳，多年来不给兑现；军中逃亡的士兵，可以安然在家，无人追究。"是使节士无所劝慕，庸人无所畏慑"；"此其所以望敌奔沮，不肯尽力者也"。

问题讲得如此透彻，也可谓点到了关键。一支军队，赏罚大旗不能高举，还有什么可说的呢？当然，辛雄"上疏"的大板还是打在了曹操的身上。刚愎自用、又不无谋略的曹操是怎么也听不进的。这一仗，也终于不能得胜。

对升官与降位，魏文帝时的尚书陈群就设立过一个"九品官人之法"，规定当时挑选各州郡有鉴识之人评定在任官员的优劣，共分为九个等级，即上上、上中、上下、中上、中中、中下、下上、下中、下下。

十七年以后，魏明帝又命刘劭作《都官考课法》七十二条，更详尽而明确地规定了升、降官员的具体办法与措施。

历史过去已经那么多年，但是，魏文帝、明帝时就如此重视对官员的考核，足以发人深省。从实际出发，以政绩为依据，我想，这确实应成为升降的一个基本因素。

当然，由于种种不正常因素的作祟，后来是否真正落实了九等标准以及《都官考课法》七十二条。那就不得而知了。

一部中国历史，如何赏与罚、升与降，真正是扑朔迷离，颠来倒去。有一点是应该肯定的，大凡有进取心、有事业性的，都能比较好地处理这类问题。本来，用一批贪官污吏、庸人小人，到头来还不是拆了自己的墙角？

大权在握，可得三思呀。

奢华之风怎得了

　　"安史之乱"造成了唐王朝的元气大伤。关于这场祸乱的原因，史学家、政治家甚至流言家都各自找到了形形色色的答案。诸如"三千宠爱在一身"、"不爱江山爱美人"，低估了安禄山的"为人"。

　　其实，历史记载得倒也十分明白：

　　初，上皇每酺宴，先设太常雅乐坐部、立部，继以鼓吹、胡乐、教坊、府县散乐、杂戏；又以山车、陆船载乐往来；又出宫人舞《霓裳羽衣》；又教舞马百匹，衔杯上寿，又引犀象入场，或拜或舞。

　　于是，安禄山"见而悦之，既克长安，命搜捕乐工"，(《资治通鉴·肃宗至德元载》)运载乐器、舞衣，驱舞马、犀、象，全部到达洛阳。

　　"楚王好细腰，宫女多饿死"。既然唐玄宗有如此奢华的排场，那么，上行下效了。给事中丁公著当面对唐玄宗说："自天宝以来，公卿大夫竞为游宴、沈酣昼夜，伏杂子女，不愧左右，如此不

已……"(同上,《宪宗元和十五年》)

是呀,遥想当年,宫殿连阙,城阁巍峨。喝美酒,尝肴馔。耳边是器乐鼓声,眼前是舞姿婆娑。那真是国泰民安、歌舞升平啊!

关于这一点,丁公著不无忧虑地坦陈直言:再这么延续下去,那就势必"百职皆废,陛下能无独忧劳乎!"

真正是仁者见仁,智者见智。沉浸在欢乐、享受中的唐玄宗的看法却是大相径庭:"闻外间人多宴乐,此乃时和人安,足用安慰。"

皇帝也有皇帝的狡猾。明明自己开了这样的先例,却一股脑儿将"成绩"全推在底下,并以此而觉得天下太平、蒸蒸日上,对他本人是个无限的欣慰。

讲究奢华、排场,以此显富、显贵,大凡有点"名"的人都会这样做。这样做,既使自己仿佛是天仙下凡、随心所欲,享尽人间荣华富贵,又足见自己治理的政绩。(饥馑荒野、盗贼蜂起,还有心思享受吗?)因此,别以为如此这般是伤风败俗、涣散人心,真正能实现的还真不容易呢!

可是,"渔阳鼙鼓动地来,惊破霓裳羽衣曲。"唐玄宗终于从美梦中醒来,终于是赔了美人交了权——提前"退休"了。

就像喝醉了酒一样,没有一个酒徒会承认自己是喝醉了;相反,还会大吵大嚷"拿酒来"。唐玄宗的醒悟,大约也是在马嵬坡以后了。

司马光臧否道:"明皇持其承平,不思后患,殚耳目之理,穷声技之巧,自谓帝王富贵皆不我如,欲使前莫能及,后无以逾,非徒娱己,亦以夸人。"这真正是揭示出唐玄宗的心态。

朱元璋建立明王朝后,大臣奏请政务大事完毕后都要赐宴。皇帝临御奉天门,或华盖殿、武英殿,公侯一品官坐在殿门内;二品到四品的官员及翰林院士等坐在殿门外……光禄寺送上进膳案台,并依次摆上食物。究竟吃了些什么,我们现代人已不得而知。但是,没有多年,礼部上书称官员太多,供应膳食有困难,请求罢停。弄得中央部门已经哭穷——真正是"吃穷"了,问题的严重性已是十分明显。朱元璋只好同意不再"穷吃"。

挥霍无度、酒池肉林、轻歌曼舞、妻妾成群,还有什么意志去奋发图进呢?

问题的严重性还在于,奢华之风必然招来小人的阴谋伎俩。历史书上记载得很清楚,安禄山正是趁机大献殷勤、大耍"傻"态而博得了唐玄宗的欢心并与杨贵妃有了不明不白的关系。

献吃、献喝、献玩,终于献得被献者昏昏然。于是,好,图穷匕首见,该我来享受享受了。历史又有了一次新的循环。

中国历史,大抵如此。

古今"斗富"

《晋书》卷三十三,载有侍中石崇与武帝舅后将军王恺比阔"斗富"的史事:"恺以粕澳釜,崇以蜡代薪。恺作紫丝布步障四十里,崇作锦步障五十里以敌之。崇涂屋以椒,恺用赤石脂。"一次,武帝赏给王恺一棵珊瑚树,高二尺许"枝柯扶疏,世所罕比"。王恺很得意,将珊瑚树拿给石崇看,并存心气他。不料,石崇以铁如意将珊瑚树击得粉碎。王恺十分惋惜,同时以为这是石崇对他妒忌。石崇表示可以还一个更大的珊瑚树给他。该树有三四尺高,"条干绝俗,光彩曜日"。这一下王恺无话可说了。

不管怎么说,"斗富"总比"斗穷"好,至少表明日子好过、财产丰足,"富"得只剩下钱了!石崇斗富的故事还有的是。

石崇家的厕所十分讲究,有十个衣着艳丽的婢女侍列于旁,又用甲煎粉、沉香汁等香料洒地。厕所里有绛纹帐、华美的床和被褥;客人上完厕所还要换上新的衣服。

石崇是不是"斗富"的老祖宗倒也难说。反正,中国人喜欢"斗富"也是源远流长。

东家拆房造新楼,西家不是依样画葫芦,就是刻意胜过他;否则,就有一种被"比"下去的感觉,从此心中不平衡。这里,不管是面积、层次,那怕是几扇窗、几步台阶——什么地方也不可落后。

最厉害的比还是近几年的事。也真奇怪,日子比以前好过了,心里却不平静了。上海滩有过几件著名的"斗富"故事。

一个体暴发户结婚了。新娘是个邻居，两家相隔不超过50米。可是，喜结连理的那天，新郎、新娘打头阵，长长十几辆高级轿车的车队，从淮海路、南京路到外滩，一路风光、招摇过市。新郎说得很明白：过去我穷，被人瞧不起；如今我富了，要让大家好好看我！

过年放鞭炮，你放五千元，我放八千元，你再放一万元，我又放一万五千元，一条马路的鞭炮屑铺成厚厚的"红地毯"。还不算过瘾。放鞭炮时夹上一张"老人头"（100元）；那边看见说，哼，小儿科，于是夹上五张；这边来劲了，夹上十张；那边干脆摸出一厚叠，眼皮不眨点上火烧了。

暴发户亟盼别人知道他的富有，以改变过去对他鄙视的眼光，那么，斗富是最好的手段之一，因为正是在"斗"的过程与结果中显示了自己的"富"。暴发户又挥霍无度、痛快享受，以报偿自己过去的窘迫，"今日有酒今日醉"呀。其实，这都掩藏着一种虚弱、胆怯的心理。因为是"暴发"、因为是"发"得莫名其妙，他们只能赶快消耗并以此壮胆、"吹大"自己。

不是么，石崇神气了没几年就被抓。他明白："奴辈利吾家财。"意思是你们看我家有钱才抓我的。抓他的人——专断朝政的赵王伦的部下——就说："知财致害，何不早散之？"石崇不能回答。于是，石崇和他的全家老小共十五人都被杀害，石崇时年五十二岁。

"斗富"终于斗出一条性命。那么，能不斗富么？难，鼓鼓的腰包又怎会按捺得住狂跳不安的心！麻烦在于，"斗富心理"很难在国人中完全清除，而且五花八门的表现形式越来越让人看不懂，最常见的是不问是否需要，不顾自己经济实力，反正"你有我也要有"，否则，就会生发出一种被人冷落和耻笑、矮人三分的感觉。为此铤而走险，受贿、贪污、盗窃，最终锒铛入狱，甚至搭上小命者也为数不少。

原来说是西方人赌博随意、灵活，不过是有点小小刺激的游戏；而中国人赌的是精神，代价是财富与自己的一条性命。

"斗富"正在发展、"斗富"正在延续……

遗 产 析

中国人是讲究门第观念、家庭出生的。所谓"龙生龙,凤生凤,老鼠生儿打地洞"。一旦选择婚配、选拔人才、任职官员等等,诸如"门户相当"、"家学渊源"、"书香门第"等,似乎也是一个不可忽视的因素。

还有遗产。人生来的不平等,就是家庭无法选择。我为什么落胎于富贵人家,他为什么投胎于清贫人家,真是令人感慨无奈。一个是食不厌精,绸缎缠身;一个是愁吃愁穿,温饱无常。一旦老子去世,或成为万贯家财的继承人,或成为各种债务的还债人!

人与人相比,何止于天壤之别。

为了显示人与人之间的平等,欧美资本主义国家早就从法律上规定了必须上交国库高额遗产税,以此来限制某些人成为天生富翁。不过,也没更好的办法。即使上交这个百分比,绝对数为数十亿、上百亿美元,那留下的也足可以在百万富翁中占个位置。

中国人不同,拼命赚钱、狠命捞钱,省吃俭用,其用意总不外乎为了儿孙后代。眼看独生子女们吃鱼吃肉,自己即便吃糠咽菜,也满足了,也惬意了。

可悲的是,有了遗产还会毁了祖宗。这不是故意作危言耸听。

清王朝入关,定中原、平天下,北京称城皇。这当中,确实是八旗官兵出身入死立了大功。然而,打了天下以后,八旗子弟们躺在父辈遗产上吃喝玩乐,无所不为。玩票的、玩戏子的、玩鸟的,真是应有尽有。如果说，当年顺治、康熙每年还召子弟们到承德山庄围歼打猎以示军威的话，到了嘉庆、道光，早就是气数已尽了。八国联军耀武扬威，只剩下一个僧格林沁还能抵挡一阵。等到洪秀全起，八旗子弟的绿营早已是刀枪也提不动了。太平天国长驱直入，横扫千军，关键是这个"军"已经是名存实亡。正是在无奈中，曾国藩的湘军团练应运而生。八旗子弟溃不成军，某种程度上造就了曾国藩的"立德、立功、立言"。

其实，从中国古代历史上我们就可以看到，一些有识之士对"遗产"另有一番议论。

五代后唐庄宗时，宣武节度使兼中书令、蕃汉马步总管李存审，虽然身居高位，却始终不忘自己出身于贫寒之家，历尽艰难方博取到功名。他经常告诫他的几个儿子说："你父亲从小手提一剑离开家乡，四十年间，官至将相。在此期间，万死一生者不只一次，破骨取出身上的箭头大概有一百多个。"李存审也留下了一份"遗产"，这是一份独到的、足以发人深省的"遗产"。那就是在他身上拔出的箭头。他将箭头交给儿子，要求他们好好保存，同时又说了一番刻骨铭心的话：

尔曹生于膏粱，当知尔父起家如此也。

史书上没有记载李存审的儿子后来的作为如何如何。不过，身居如此高位的李存审留下这份"遗产"也足以使我们后人深思了。值得注意的是，李存审不是要儿子牢记血泪仇将来去杀敌立功，而是要儿子永远牢记父亲的"起家"。那就意味着，儿子如欲"起家"，也当作如是观。

唐昭宗时，御史大夫柳玭曾告诫他的子弟说："凡是门第高贵的，应当害怕而不应当依仗。这种家庭的人在立身处事中，若有一件事差失，则造成的罪过就会重于他人，死后又无脸见先人于地下。这就是应该害怕的原因呀！"

柳玭语重心长地指出：

高门则骄心易生，族盛则为人所嫉；懿行实才，人未之信，小有玼颣，众皆指之：此其所以不可恃也。

这就是有地位人家子弟们应该策训的地方。柳玼的要求则是：

　　故膏粱子弟，学宜加勤，行宜加励，仅得比他人耳！

写到这儿，有读者会问，这是"遗产"么？

　　答曰：是的，真正能够继承好这份遗产，那可比位子、票子、房子、娘子、车子"五子登科"好得多。谓予不信，可看看历史。

立嗣十分要紧

中国人总希望多子多孙,有无子嗣往往是一个人(或一个家族)是否有福份的表现。孔夫子当年发急的时候曾指天画地:"始作俑者,其无后乎!"幸亏他还有个儿子孔鲤,否则,真应了自己的赌咒——不过,也有人解释,孔夫子的"后"不是指子嗣,而是继承者之类。前一种理解,似乎更符合孔夫子当时的心情与形态——简直是呼之欲出。

那么,为什么在中国人的传统心理中,要将子嗣看得如此要紧呢?先来说说历史。

苏东坡在《范景仁墓志铭》一文中有记:"仁宗即位三十五年,未有继嗣,嘉祐初得疾,中外危恐。公独上疏乞择宗室贤者,异其礼物,以系天下心。"

请注意,这儿用了"中外危恐"、"以系天下心"九个十分跳眼的字。

到元祐初,韩维上言,说这是"首开建储之议",于是大臣继续有论奏。皇祐五年甲午,有建州人太常博士张述,也就继嗣未立而上疏表示:"陛下春秋四十四,宗庙社稷之继,未有托焉。以嫌疑而不决,非孝也;群臣以讳避而不言,非忠也。"他又按捺不住内心的激动,反覆恳言:"愿择宗亲才而贤者,异其礼秩,试以职务,俾内外知圣心有所属。"此事反反覆覆,史书记载"前后凡七疏,最后语尤激切"。

这是多么好的"宫廷戏"的素材呀！悬念迭起，一波三折，扣人心弦，跌宕起伏，其核心就是一个"立嗣"。

那么，为什么立嗣有如此重大的影响，乃至牵涉到"中外危恐"、"不孝"、"不忠"的地步呢？

从皇帝老子来说，"朕"即国家，每个朝代都打上了私家的印记：刘汉、李唐、朱明，等等。国家就是自家。什么样的人才是最理想的接班人呢？当然莫过于亲生儿子。这就像一个富翁，张三、李四肯定将"遗产"留给的是小张三、小李四。本来，这也没有什么可奇怪的。

作为大臣，尤其是皇帝身边的大臣，更懂得"一朝天子一朝臣"的道理。为了保住自己的名利地位，无不在太子面前施殷勤、卖弄聪明，增加预先投资，以便一旦即位，非但保持现在的身价，说不定还可以"护驾"有功而连升三级。

拆穿了说，什么"中外危恐"，还不是大臣自己惶惶然、戚戚然；什么"不孝"、"不忠"，还不是为自己的前途担忧？

做皇帝也真难，生儿生女、生多生少可不是寻常儿戏，它往往同"社稷"安危相联系，如此这般，也真难为了皇帝及其嫔妃，那一举一动真是无不包含着重大意义呀！

老天也真会开玩笑。有时，他会将龙子龙女塞满你的后宫。于是，好，谁能当太子、谁能继位，伴随的将是刀光剑影、火拼厮杀，弄得皇帝老子也左右为难，说不定将老命也搭上。那当上皇帝的"子嗣"也真是一"阔"脸就变，不将亲兄弟们斩尽杀绝已是幸事。不过，也有将兄弟改了名的，那个雍正，不就将兄弟改叫"猪"呀、"狗"呀什么的么！

没有子嗣也麻烦。那位仁宗，才四十四岁，上上下下就为他的继承者忙碌开来。有那么多的嫔妃而无生育，大概还是仁宗本身有问题，于是只能是"择宗亲才而贤者"了。

这样的例子比比皆是。从同治以后，光绪、宣统就属于"宗亲"

中的"才而贤者"了。与以往不同的是，慈禧太后在背后牵线摆布。慈禧此事做得干脆利落，或许是看到过宋仁宗的这段故事吧。

封 禅 谈

封禅,是中国历代君王十分想做,但又是没有几个能做成的事。

还在战国时代,齐鲁就有儒生认为五岳中泰山最高,帝王应到泰山祭祀。登泰山筑坛祭天曰"封",在山南梁父山上辟基祭地曰"禅"。"封禅"由此而来。此事由齐鲁的儒生提出,泰山又恰在齐鲁境内,由此又将自己比附成泰山的"门徒"之类。直到现在,我对齐鲁这帮儒生的用心是颇为怀疑的。

"秦王扫六合"后,秦始皇有过到泰山封禅之举,好大喜功的汉武帝也步其后尘到此封禅。

司马迁在《史记》卷二十八特地写下《封禅书》。文章开头说道:"自古受命帝王,曷尝不封禅,盖有无其应而用事者矣。未有睹符瑞而不臻乎泰山者也。虽受命而功不至,至梁父矣而德不洽,洽矣而日有不暇给。"字里行间,已经透露出对封禅的疑惑、不解与指责。

《封禅书》详细披露了此事的来历经过,最后的评价是:

> 余从巡祭天地诸神名山川而封禅焉。入寿宫侍祠神语,究观方士祠官之意,于是退而论次,自古以来用事于鬼神者,具见其表里。后有君子,得以览焉。若至俎豆珪币之详,献酬之礼,则有司存。

至此,司马迁对封禅的不屑已溢于言表。事实也如此。秦始皇封禅之后不久便"驾崩",二世即位不久秦王朝便荡然无存,历史对秦始皇开了个玩笑。汉武帝之后,昭、宣二帝,那可真是"一代不如一代"了。

于是,后来的皇帝们对此也就小心翼翼,不敢轻举妄动了。

东汉光武帝时,曾车驾东巡。群臣上言,即位已三十年,宜封禅泰山。光武帝还算聪明,下了一道诏书说得明明白白:"即位三十年,百姓怨气满腹,吾谁欺,欺天乎?何事污七十二代之编录……若郡县远遣吏上寿,盛称虚美,必髡,兼令屯田。"这段话似乎文不对题。一个说封禅、一个说"上寿"。原来,光武帝打了个埋伏。

两年以后,上斋时,光武帝夜读《河图会昌符》,曰"赤刘之九,会命岱宗"。终于心血来潮,找来《河雒》谶文,"以三月行封禅礼"。

唐太宗在贞观五年,群臣以四夷咸服为由,表请封禅。唐太宗说得十分彻底:

> 卿辈以封禅为帝王盛事,朕竟不然,若天下乂安,家给人足,虽不封禅,庸何伤乎?昔秦始皇封禅,而汉文帝不封禅,后世岂以文帝之贤不及始皇邪?且事天扫地而祭,何必登泰山之颠,封数尺之土,然后可以展其诚敬乎?

事后,唐太宗也不是没动心过。只是魏征"独以为不可,发六难以争之,至以谓崇虚名而受实害,会河南北大水,遂寝"。

再过几年,唐太宗又让人裁定其礼,将以十六年二月,有事于泰山。只是,"会星孛太微而罢"。

不过,唐太宗的"遗愿",终由他的儿子李治,携带着武则天(也许应该称武则天携带李治)而完成了。

做了皇帝,自命天子,总缺一个上苍的使者来"命名"的典仪。于是,只好自作多情,自己封禅,算是完成了这一过程。

问题还在于,封禅的千军万马,浩浩荡荡,尘灰蔽天,日月无光,只是又一次向世人摆出一副威慑的架势罢了。作为三军统帅,"普天之下,莫非王土;率土之滨,莫非王臣",皇帝以神、天、地的名义,又一次摆阔而已。

也论长寿之道

人生来是不平等的。帝王将相,财神富翁乃至桎梏人家、囹圄子弟,真是不一而足。可是,人生来又是平等的。不管是腰缠万贯、一掷千金,还是挥汗卖力、浆洗缝补,每人一天也都是二十四小时,不多也不少。贪图享福的,不可能比别人多出一二小时;愁吃愁穿的,也不会比别人少掉一二小时。

还有就是寿数。做了帝王,身为天子,享尽了人间荣华富贵、使尽了世上颐指气使气派。可是,上苍一道符命,你只得撒手人寰。

于是,首先统一中国的秦始皇就从两个方面作了努力。第一,他让徐福率领一帮男女登上渡船,试图在那遥不可测的大海中获取长生不老之药;第二是动用成千上万的人马为自己造出惊天动地的陵墓,并有兵马俑之类不可计数的陪葬品。其实也简单。秦始皇的思路是保住"阳间"寿数;再不行即使下到"阴间",也依然是声势赫赫、统率三军。

可惜徐福一去不复返,兵马俑之类只是成为"出土文物"而令今人叹为观止——估计秦始皇在地下也没享受过再指挥一下的威权。

历史也真会捉弄人。历代君王最恐惧的,也许就是"死",可上苍就没多给他们长寿。据说,有人统计过中国的皇帝寿数,平均不超过五十岁,其中相当一部分才三十来岁——那可是真正的英年早逝。细究原委,有人说是纵欲的结果;也有人说是"食不厌精",消化道出了毛病,难以吸收营养,这也许可以叫"偏食症",或者是"营养不良症"。至于乾隆皇帝活到八十多岁,自诩"十全老人",真是中国历代封建皇帝的凤毛麟角了。

为了长寿,帝王将相、王公贵族也真是想尽了办法。除"炼丹"、"练气"、山珍海味外,竟然还有"房中术"、"采阴补阳"等等,五花八门,不一而足。

有意思的是,司马光在《资治通鉴·齐纪二》中,以魏光禄大夫咸阳文公高允为例,又专门谈到了长寿之道。高允,历事五帝,出入三省,五十余年,未尝受到责备。冯太后及魏主十分看重他,常让宦官去服侍(这可是享受了皇帝的待遇呀)。司马光在叙述中,介绍了高允长寿之秘密。"允仁恕简静,虽处贵重,情同寒素;执书吟览,昼夜不去手;诲人以善,恂恂不倦;笃亲念故,无所遗弃。"

还有这么一件事。献文帝(公元 470 年)平定青、徐两州时,有名望的贵族全部迁移到代地。这些人很多是高允的亲戚。眼看他们流离饥寒,高允倾家荡产赈济他们,又作了安置;再根据他们的才能与品行,推荐于朝廷。朝中有人议论说他们归附的时间短而应该疏远,高允却说,"任贤用能,哪能有新旧之分!如果能用,又怎么可以以此理由压抑呢!"

高允平素无病。临终仅微有不适,犹起居如常,数日而卒,年九十八。一位百岁老人,在当时实属罕见。其实,字里行间,我们已经可以觉察到司马光对其所以长寿的披露,其中尤其值得注意的有:"仁恕简静","执书吟览,昼夜不去手","诲人以善,恂恂不倦"……这些同"纵欲"正好对立,即"寡欲"也。

"食、色,性也"。"纵欲"还是"寡欲",体现了人的处世态度,尤其是对名利的态度。

人又陷入了一个怪圈。一方面,为名利争得个面红耳赤,赔上性命家小,只是为了荣华富贵、安逸享受;一方面,又将"寿"与"福、禄"并为一起,"长寿"也成为人生追求之一。可是,岂不知拼命地追求名利,正是折了寿数,"怒伤肝、郁伤肺"。这岂非是一对矛盾?

不管怎么说,寿数也是名利的一个组成部分。金银财宝堆成山似的,没寿数去享用,岂非白搭? 也罢,"好死不如赖活",活下去是第一位的。

正因为如此,司马光对高允做了五十多年大官而又活到九十八岁,就不能不叹服、不能不惊奇了。

名与面子

汉光武帝是一个不同寻常的皇帝。自公元 25 年登基,很快在全国造成盗贼平息、百姓安定的局面。光武帝刘秀的上台并不体面——这无需多加指责,关键是看他掌权以后的作为了。

我以为,作为政治家,很重要的一条就是应该看他有没有胸怀;这种胸怀,就表现在他能否正确对待过去反对过他的人,以及他的下属,乃至佣仆之类。

光武帝在国内局势趋于稳定以后就想方设法招贤纳士,以进一步管理好国家。

太原人处士周党、会稽人严光等都被光武帝下诏书征召而到了京城。周党入宫参见皇上,只趴下而不叩拜,陈述了自己不愿做官的志向。这件事弄得求贤若渴的光武帝好不尴尬。一博士上书表示谴责:这批人蒙受皇上厚恩,让使者三次聘请,才肯上车前来。到了朝廷参见皇上,周党不以为失礼,伏而不拜,真是自高自大、骄傲狂妄!该博士提出,应该由皇上考问他们治国之道;如果他们真是没什么本事,那真是"私窃虚名,夸上求高,皆大不敬!"这种带有挑唆性的话,并没有打动光武帝。

本来,人的耐心是有程度的。已经是礼聘下士,已经是"三顾茅庐",已经是求贤若渴,偏偏还不买帐。如果是一般的皇帝,不来个"立即问斩",也至少是廷杖、驱逐之类,以示天威。加上博士的一番话,皇帝不出火才怪呐!可是,光武帝却不,他十分大度地下颁诏书：自古以来，所有的明王圣主，都必定要遇到不辅佐他的士人，伯夷和叔齐就不吃周朝的粮谷嘛！"太原周党不受朕禄，亦各有志焉"。不加问罪，已是万幸，光武帝还"赐帛四十匹，罢之"。这倒是件十分合算的事了。不下跪、不做官，竟然有丝绸四十匹。幸亏周党式的人物不多，否则光武帝的库存还不够用呢。

光武帝的雅量，还表现在一些小事上。

有一次外出打猎，车马随从在夜间返回，东北门的卫官拒绝开门。光武帝命令随从上前到城门缝间通报，卫官只是说："现在离打开城门的时间还早着呢！"光武帝只好怏怏地绕到东门进了城。

本来，光武帝可以法办东北门卫官，也为的是挽回天子的面子。想象一下，一个浩浩荡荡的皇帝队伍，狼狈地困于城门外，这又是什么样的滋味？然而，不识相的东北门卫官竟然次日天明随即上书进谏：从前周文王之所以不敢迷恋于游田射猎，是因为只有端正自身才能治理万民。随即，"犯上作乱"地写道："而陛下远猎山林，夜以继昼，其如社稷宗庙何？"光武帝一定是吓出一身冷汗：想不到，门的开与关，还有如此深奥的道理。于是，他一方面赏赐一百匹布给东北门卫官；另一方面又将东门卫官贬为参封县县尉。

这就是赏罚分明。

不过，我还有点为被贬的卫官叫屈。谁知道你皇帝什么心思？我拒你于门外，也许我得搭上自己一颗人头呢！而今，开了城门又被贬，是何道理？再说，始作俑者正是光武帝本人。不是他外出打猎夜归，也不会有这么一场风波。处罚下官，首先得处罚自己。

话得说回来了，真能做到这一步，又不是光武帝之类的人了，倒是小学语文教材中列宁与门卫的故事了。列宁没拿出证件被拒进门，列宁是真的进行了自我批评。

光武帝毕竟是光武帝。能做到这一步已经不易。可不，历史为光武帝留了一个美名。

因"财"施教质疑

虽然也忝列于教师行列,可毕竟不在中小学。然而,"贵族学校"、"高价收费"的出现早已在社会上沸沸扬扬。事情似乎弄得有点不明白了:好端端一个"因材施教"怎么变成个因"财"施教?

孔夫子当年倡导"有教无类"实在是来自于教学的实践。你说"书香门第"一定是代代出类拔萃?大腹便便的富翁可以用钱去装扮一个书房,也不一定子孙们个个书声朗朗、才气横溢。记得在"文化大革命"的年代——确切地说是"批林批孔"的时候,有人发现《论语·述而》中有"自行束修以上"便大叫大嚷,什么"有教无类",孔老二收学生还要十条干肉呢!其实,这不过是古人相见之礼。朱熹说:"束修,其至薄者……苟以礼来,则无不有以教之也。"君不见随即是"吾未尝无诲焉"。

到了唐代,韩愈更是一语中的:"无贵无贱,无长无少,道之所存,师之所存也。"(《师说》)是不是唐王朝政治开明、经济繁荣,于是发财的人多了,于是也想弄个"贵族学校"什么的,那就不得而知了。不过,重点突出"无贵无贱",也许针对着有钱人如何如何、没钱人如何如何的。

因此,中国的一部教育发展史,可以说就是一部"有教无类"史。恕我浅薄,迄今也不知道中国哪个朝代有过什么"高价收费"而子弟彪炳的。难怪毛泽东生前老是喜欢扳着手指数道中国的状元、名人、才子、伟人有多少乃穷户出身,乃困厄缠身……

如今是改革开放的年代了,我们正在做我们的前人从来没做过的事业。可不,因"财"施教就是一例。

不错,教师穷、校舍破、校长忙,都是钱这个东西在作怪。让那些富得冒油的老板、经理或其他什么的少喝点洋酒、少来点"OK",掏出点钱来"支援""支援"教育也并非是件坏事。可是,富翁并非都是慈善家,也非基督徒、释门子弟,他们总得瞄准点什么。于是,少爷、千金在金钱的簇拥下纷纷登堂入室。

既不是名牌、也不是重点,真正是"名不见经传"。我想,这类中小学大概还是绝大多数。那么,它们又凭什么开"贵族学校"、搞"高价收费"呢? 这可苦了一大批"第三世界"与"发展中国家"了。

如此这般,不用几年,人的三流九等就十分明显了。有钱人周围将是他们的子女的"优秀教师"、"名牌"光圈;穷人呢,子女倒霉,教师蹩脚。有什么办法,投错胎了嘛!

因此,因"财"施教如何的发言权应当让大多数普通学校的校长、教师来参与。有一点可明白的,没有了"名牌","重点"之类和头衔,又有什么富人愿来投资、积德,抑或送龙子凤女来体验体验穷人们的生活?

鄙人未进入因"财"施教的行列,无法体验这样的教育如何进行。不过,凭想象,大概会这般模样:

少爷、小姐们当然是趾高气扬、不可一世。不知有几个会认真读书、勤奋学习? 老师去帮助么? 批评么? 他(她)会来一句:好了好了,你的工资奖金钞票还是我爸爸给的呢! 考试不及格了,留级了,教师下得了手? 富翁爸爸一求情、二送礼、三骂娘:"好吧,我儿子不念了,转学,钱也不出了!"总不能尽是贵族后裔吧?那么,穷人呢? 如何相处? 即使大家都有钱还得比十万、百万,出门轿车是奥迪还是奔驰……

说真的,我真为这样的学生、学校捏一把汗。唯钱至上,还不如干脆卖文凭。那可又省力、又省事;少爷小姐也免受劳什子的罪。

说了半天，会有人指着我的鼻子嚷：你来当个中小学教师试试？你来当个中小学校长试试？的确，"大教育、少投入"喊了多年，迄今收效甚微。一次看电视：一位校长讲到新年愿望时说了一句："但愿不再为钱发愁了！"我真一阵酸楚。

　　可是，因"财"施教毕竟不是个办法。从思想方法上说，犯了"短视"的毛病。不用几年，后果不堪设想。

　　也许有人会说，国外有"贵族学校"。可是连英国王室成员也不让他们的子女进贵族学校了，原因是出来以后会不了解社会实际。

　　那么，就无可奈何了？也不。我想，路是人走出来的，适当搞一些勤工俭学，既赚点钱又让独生子女经受劳动锻炼，又有何不可？解放前，也有陶行知等在农村，既办学校又办农场，学生们既读书又劳动。其实，这不妨一试。

　　看到因"财"施教，还很想听听已经这样做了又如何？时间长了又如何？更想听听普通学校、普通教师的声音。

　　那么，我的这篇文章无疑是班门弄斧、关公面前舞大刀了。

"机遇"析

按照辩证唯物主义理论,事物本质的变化取决于内因与外因。内因是根本、外因是条件。外因也只有在与内因相一致的时候才会起推动作用。

别误会,我不是在讲这些大家早已耳熟能详的抽象理论;我是从"机遇"这个词而联想到内因以及外因的理论问题的。这些年来,"机遇"使用的频率之高令人咋舌。抓住机遇,利用机遇,不要失去机遇等等话,几乎天天见诸报端。于是,很多人在等待机遇,犹如守株待兔般地等待着。机遇会送上门么?

机遇固然是变化的重要条件,关键还在于内因。老实说,一个各方面素质不错、能力出色的人,光顾他的机遇肯定多;反过来,一个各方面不怎么行、老是埋怨缺乏机遇的人,机遇来了也没有用。

还是来看看中国历史上唯一的一位女皇帝武则天吧。

唐太宗时,年仅 14 岁的武则天被选为才人。作为"一代风流"的唐太宗李世民,文韬武略、杀伐决断,可谓英主。武则天受过唐太宗的宠幸,但是并没得到唐太宗的青睐与器重。倒是有一件事引起了唐太宗的注意。一匹桀傲不驯、名为"狮子骢"的马,无人可以驯服。武则天却说,只要有三件东西就可以将它制服:一为铁鞭、二为铁锤、三为匕首。先用铁鞭抽;不行,再用铁锤打;再不行,用匕首刺,将它杀死。此言一出,连唐太宗也愕然,吃惊不小。

唐太宗为图长生不老而吃丹药,结果元气大伤、病入膏肓。正在治病期间,唐太宗的儿子李治为武则天的美艳所吸引,两人开始有了不明不白的关系。

唐太宗死,作为他的嫔妃只能做"活人葬"——统统打发进感业寺念经拜佛、了此终生。武则天又怎肯就此罢休?继位为唐高宗的正是李治。唐太宗忌日,李治进感业寺进香,遇上武则天。两人由伤感而旧情萌发。

话说到这儿,似乎已难发展。因为武则天的身份决定了她只能在感业寺等待最终的死亡。李治也决没有胆量将她接进宫。

可是,有了一个重大的、乃至根本性的机遇。

当时王皇后无子,萧淑妃母因子贵而颐指气使。王皇后听说唐高宗喜欢武则天,就"阴令武氏长发,劝上内之后宫";其目的,就在于"欲以间淑妃之宠",也就是企图利用武则天来击败萧淑妃。

正是这关键的一步,使武则天堂而皇之地进了宫。怎料想,武则天极有心机,一开始还"卑辞屈体以事后";但是,武则天真是"女中豪杰",性格刚毅又"多权数"。没多久,"后爱之,数称其美于上"。很快,武则天扶摇直上,拜为"九嫔之首"的昭仪。由于她对政治、权力的兴趣,正好补充了唐高宗这方面的倦怠。唐高宗已离不开武则天。到这时,王皇后才发现大事不好,"后及淑妃宠皆衰,更相与共诋之,上皆不纳"。

也许,这就是机遇的造就;反过来,武则天也正因为抓住了这一机遇而改写了唐代的历史。

这又同唐高宗的性格分不开。与其父截然不同,李治性格懦弱,优柔寡断,对权力不感兴趣。因此,逐渐逐渐,武则天从他的"帮手"而几乎成了他的"敌手",这就叫养虎成患。

有这么一件事很说明问题。

由于武则天弄权,飞扬跋扈,唐高宗在恐惧中准备将其废掉。他找来了上官仪,"命仪草诏"。不料,事情被透露了风声,武则天迅速赶来。上官仪在起草诏书,唐高宗见到武则天竟然吓得目瞪口呆,"羞缩不忍,复待之如初"。这还不算,唐高宗急急忙忙为自己洗刷:"我本来就没这个意思,都是上官仪教我的。"这么一来,上官仪可倒了霉。不久,"仪下狱,与其子庭芝、王伏胜皆死,籍没其家"。

如果是唐太宗,按照他的性格与能力,武则天怎么也不会擅权并由此讨得其欢心。说不定正因为如此,唐太宗早就赶走了武则天。没想到,作为唐太宗的儿子唐高宗,竟然与其父相差如此之巨大!正是作为唐高宗性格的对立面,武则天平步青云。

杀了那个蒙冤的上官仪以后,武则天开始"垂帘听政","政无大小,皆与闻之。天下大权,悉归中宫……天子拱手而已,中外谓之二圣"。

武则天并不以此为满足。她觊觎更高的发展。

唐高宗抑郁寡欢而成疾,一命呜呼。其子即位名唐中宗。此人酷似乃父,也是懦弱、羞涩、委顿。终于,武则天罢黜中宗,自立为皇,是为周朝,并由此成为中国历史上唯一的一位女皇帝。

纵观武则天的发迹史,实在令人感慨机遇的重要性。是历史造就了武则天。唐太宗如能活到七八十岁,武则天肯定就没"戏"唱了;中国史书上是否会有武则天的名字也令人怀疑。

话又要说回来了。这种机遇也给了王皇后、萧淑妃,可她们非但没抓住,还丧命于武则天之手。这就是武则天的性格。她像驯服"狮子骢"一样驯服了唐王朝。

文人赚钱一法

实在地说,目下书市的热闹相当一部分是靠编书撑起来的。没有掌握多少确切的数字,不过,新书中(尤其是文学类)编书占的比例一定是相当可观的。

洋洋大观的编书,按其类型,有多种多样。

其一,名作家名作品新编。鲁迅的小说,可以叫《呐喊的人生》,其杂文,又可以叫《沉默中的爆发》、《沉重的中国》。周作人、梁实秋、徐志摩、张爱玲的散文、小说,也可以重新编集、重新命名。如此这般,鲁迅的小说两本《呐喊》、《彷徨》,可以新编四本、六本乃至八本以上。

其二,名作家"合集"新编。有些小说、散文、小品、诗歌,打出一个新书名,诸如《嘲讽人生》之类,便可以将鲁迅、周作人、钱钟书等等拉出来组成一支新的队伍。你说不伦不类吧,他可以通过"序"、"前言"、"说明"之类,来分析评价这样做的意义与突破。

其三,新排"座次"新编。你说鲁迅、郭沫若、茅盾、巴金、老舍、曹禺;我说偏不,"二十世纪大家小说精编"就有了自己一套文学观、价值观;可不,多集的、单集的,一本又一本。据说,行情颇俏,其实也就是那些作品在充数。

其四,"文集"源源不断。据说,五十年代对哪些人可以出"全集"、哪些人可以出"文集"、"选集",还有点梁山泊英雄排座次的味道。现在倒好,一个作家可以是"文集"、"全集"又可以是"自选集"、

"系列集"、"小说集"、"散文集"……

其五，单行本的新编。不是说小品散文行俏么，诸公一年出它个七、八本集子不在话下。东、西、南、北、中，竞相争出。其实，不要说70～80％是新内容，有那么50％内容不重复已属罕见。

其六，配套教材、参考书新编。一部中国文学史，可分为幼师用、中师用、中文专业用、电视大学用、高师用；这还不算，一些地区、省、市"地方保护主义"，自己搞教材及自印参考书。要得我的文凭，不用我的书就是不行！

……

"编书"充溢坊间，其数量之大，真是令人咋舌。

究其原委，首先是"钱"字作怪。既没有知识产权的纠缠，又没有稿酬的发放，省去一大笔开支，那真是何乐而不为呢？一个书名就是一台新戏，不懂世事的年青人掏钱买了此书岂不重复上当？

其次是"职称"的诱惑。没著作么？可以"编书"——于是，围绕"主编"、"副主编"；"第一主编"、"第二主编"争得个不亦乐乎。有了"书"，何愁不给个"高级"当当？

实在地说，如此庞杂的编书，真是费钱、费时、费力、费纸。可眼下，编书确又成泛滥之势。编书，真正意义上的编好书，谈何容易！三十年代，赵家璧组织、发起了《中国新文学大系》的编辑。当时的社会名流，如蔡元培、鲁迅、胡适、茅盾等等身体力行，分别写出理论、论争、小说等集的"导言"。《中国新文学大系》由此成为中国现代文学史、中国现代文学研究里程碑式的作品集。

对得起自己，对得起下代人——这是当时编书者们的人格追求。可是眼下呢？编书者又对得起谁呢？从发财、赚钱角度说，"写书不如编书；编书不如卖书"。那么，幸好眼下停留在"编书"阶段。哪一天大家都去"卖书"了——不知还有什么可卖？

考试也可以"炒"

吴敬梓的《儒林外史》第四十二回中写道,秀才们到南京参加新一轮考试,才刚住下,就让仆人买两顶新方巾以及文具、用品、场食和药物等。开考那天,考场外大小摊子无数:卖书籍、文具、古玩等等;其中尤为引人注目的是应付考试用的"时文"。

余生也晚。想想若不能博它一个"金榜题名",就是目睹一年一度的考试热也算是件幸事了。惜哉,俱往矣。

但是不,眼下的考试热,不亚于文人墨客们的古代。

君不见,每年的五月、岁末,我们的广告载体就为考试而忙碌开来。一个戴着眼镜的中学生模样的少年郎困坐书城之中,正愁眉不展、郁郁寡欢而垂下了头——配音(下滑之声):"温课太紧张——来,喝鸡精!"顿时,热血沸腾,斗志昂扬,重新埋头书本。终于,大名高悬红榜!

你儿子要考上大学吗?请喝×××!

你女儿要考上重点中学吗?请吃×××!

你孙子要进重点小学吗?请饮×××!

一切的一切全瞄准考试而来。

打开报纸,"考试专版"、"考试专栏"目不暇接。"怎么样考出好成绩?""如何不慌?""考砸了怎么办?""当年状元谈考试"、"家长如何配合考生"……考试,你也炒、我也炒,还不炒得热浪滚滚、铺天盖地?真正是一个"炒"字怎了得!

炒呀炒呀炒呀炒，应该还有几家作点贡献。房产商们应该说，为了考试，应该有一个静谧、恬适的小屋（配画面：山清水秀之间一幢小别墅）；空调厂家应该说，为了考试，应该有一个 20℃的气温（配画面：考生穿着羊毛衫在空调下笑靥靥地温课）；咖啡商又该说，为了考试，提神补脑，味道好极了！

可不，就像吴敬梓笔下的商人们，正在发"考试财"呢！

那么，好心人呢，岂不也在"炒考试"中加温加热？虽然，其中也不乏纠偏者。

各个年级、各种学校的考生们在汹涌澎湃的考试热中，只能是参与，参与，再参与。

为了考生，为了孩子，该少炒炒考试了。善哉，善哉！

后宫之女知多少

公元 360 年，正是东晋十六国时期。作为当时大国之一的燕国，慕容儁死后，儿子慕容暐即位。太后可足浑氏干政，既是太傅又是叔父的慕容评又擅权。燕国正岌岌可危。大臣申绍为国担忧，冒死直言进谏。

申绍从官吏制度到经济政策予以全面抨击。其用意当然是革除弊害，兴邦治国。其奏章又专门谈到：

> 后宫之女四千余人，僮侍厮役尚在其外，一日之费，厥直万金……

我突然有了一个兴趣：后宫之女知多少？

白居易《长恨歌》云："后宫佳丽三千人"；杜甫《剑器行》云："先帝侍妾八千人。"也许是为了写诗的平仄格律，也许是诗人们的想当然。其实，"三千"也好，"八千"也罢，只是一个大大缩小的数字。

据史载，汉代以降，帝王妃妾之多，有汉灵帝、吴归命侯、晋武帝、宋苍梧王、齐东昏侯、陈后主。晋武帝时已达万人。

《新唐书》叙，开元、天宝中，宫嫔大率至四万。而隋炀帝时，离宫遍天下，每一处都有妃妾宫女，究竟有多少，隋炀帝本人也肯定是昏头昏脑，数也数不过来。

如此众多的女子圈在宫中，当然是为了满足皇帝老子的性欲，任其玩弄，任其作贱。同时，又是为了达到"多子多福"的愿望。唐太宗子女五六十个，康熙子女六七十个，不知是否为冠亚军？

这还不是主要的原因。

实际上，拥有大量的女子，还是为了政治上的威慑作用。在封建社会，拥有多少个女子侍妾，是地位的标志与象征。无疑，以"国"为朕"家"的皇帝无论对什么的占有量，绝对应该是第一位的。

难怪太平天国部队打进南京城，洪秀全首先忙的是两件事。一是建造天王府，二是弄了八九十个嫔妃。此例一开，底下也忙坏了。不过，府第规模不能超过天王府，女人数不能多于洪秀全，这是每个官员都心中明白的。

权力象征之一是女子占有量；又以此来显示自己的权力地位——这又是中国历史上的一个怪圈。

至于宫中女子的命运如何，皇帝老子是不屑去思考的。不要说宫女，连一些嫔妃都没见到过皇帝一眼。作为皇帝的私人财产，没跟着去殉葬已是一件幸事；可"活葬"是怎么也逃脱不了的。早已在你的户籍档案上烙上了皇室的烙印；那么，进感恩寺吧，修身养性以度终生。

是的，作为皇帝名利地位象征的女子，你已充过数了，你已尽过忠了，你已受过"宠幸"了。你不生下王子、公主，是你自己不争气，怪谁？

还是贾元春说得最透彻，虽身为贵妃，还是一针见血：父母又为何"送我到那不得见人的去处！"

薛宝钗结局又如何

贾宝玉神游太虚幻境，警幻仙子让他看了金陵十二钗正册及副册、又副册等。正册头一页"画着是两株枯木，木上悬着一围玉带；地下又有一堆雪，雪中一股金簪"。还有四句诗道：

> 可叹停机德，堪怜咏絮才！
>
> 玉带林中挂，金簪雪里埋。

按照一般的解释，这儿写的是薛宝钗和林黛玉两人。本文仅谈谈薛宝钗。（虽有"钗黛合一"说，但还是分别论述似更明白些。）

高鹗续的后四十回，谓"大厦将倾"，"宝钗更有一层苦楚：想哥哥也在外监，将来要处决，不知可能减等；公婆虽然无事，眼见家业萧条；宝玉依然疯傻，毫无志气……"（《红楼梦》第一百六回）临了，贾宝玉还是"中了第七名举人"却又"光着头，赤着脚，身上披着一领大红猩猩毡的斗篷"而出家当了和尚。宝钗先是"哭得人事不知"，接着"思前想后：宝玉原是一种奇异的人，夙世前因，自有一定，原无可怨天尤人"。（同上，第一百二十回）

薛宝钗的结局到底又如何呢？《红楼梦》中有一个贯穿始终的人物，那就是贾雨村。在第一回中，他是这样登场的："这士隐正在痴想，忽见隔壁葫芦庙内寄居的一个穷儒——姓贾名化，表字时飞、别号雨村的走来……"接着，写到他对天长叹，复高吟一联云：

> 玉在椟中求善价，钗于奁内待时飞。

人民文学出版社 1979 年版特意在此注云："……匣盛美玉，等待大价钱才卖，是孔子对于自己待机做官的比喻；神女留玉钗，后化为燕子飞去，是古代传说。'待时飞'也是借以比喻等待'做官发达'的意思。"其实不然。

按照曹雪芹在小说中诗文都有一番深意，乃至暗示人物结局的意思，这儿的"玉"是黛玉，"钗"乃宝钗也。那么，待字闺中的林黛玉求的是贾家好人，而薛宝钗等着的恰恰就是这个贾雨村（"时飞"）！

薛宝钗最后会和贾雨村结合？这就是薛宝钗的结局——最终再被雪埋。我以为，这又分明流露出曹雪芹对这两个最热衷功名、权势的男女的讽刺与抨击。

贾雨村出身诗书士宦之族，因家道中落，流离苏州，寄居葫芦庙中卖字作文为生。乡绅甄士隐见他抱负不凡，常与交接，并慷慨解囊相助，送他进京赶考；"大比之期，十分得意，中了进士，选入外班，今已升了本县太爷"。可此人"虽才干优长，未免贪酷；且恃才侮上，那同寅皆侧目而视……"（第二回）

贾雨村游至维扬地方，充巡盐御史林如海的西宾——也就是林黛玉的家庭教师，又与林黛玉一起到京，与贾政连了宗，经贾政推荐，"不上两月，便选了金陵应天府"（第三回）。不久，便发生了那件著名的"葫芦僧判断葫芦案"。贾雨村深深领悟到"贾、史、王、薛"，四大家族"皆联络有亲，一损俱损，一荣俱荣"，而宁愿得罪自己的恩人女儿。"过河拆桥"、"忘恩负义"初见端倪。

从此，贾雨村官运亨通，从知县升转了御史、吏部侍郎、兵部尚书等职，可谓飞黄腾达，青云直上。可就在贾家风雨飘摇时，他狠狠踹了一脚，落井下石，无耻之极。当然，他也没有好下场。"好了歌"注解说的"因嫌乌纱小，致使锁枷扛"指的就是他。甲戌本脂批云："功名升黜无时，强夺苦争，喜惧不了"，真可谓入木三分。

薛宝钗心志很高："好风凭借力，送我上青云！"只可惜自己是女儿身。她认定男人们应该"读书明理，辅国治民"（第四十二回），再三劝导贾宝玉好好读书以博取功名。就在这个问题上——或者说人生观问题上，贾宝玉厌恶薛宝钗而与林黛玉有了共同语言。

薛宝钗最终与小说中最坏的男人贾雨村结合，显示了曹雪芹对功名利禄的愤怒与挖苦；当然，也是对醉心此道者的一种调侃与揶揄。

"何必藉女宠也！"

白居易在《长恨歌》中这么吟叹：

> 金屋妆成娇侍夜，玉楼宴罢醉和春。姊妹弟兄皆列土，可怜光彩生门户。遂令天下父母心，不重生男重生女。

杨贵妃因为是"天生丽质"而受到唐玄宗"三千宠爱在一身"的优遇。于是，杨贵妃的姊妹、弟兄纷纷由此得到"恩泽"而进宫、当官。社会风气为之一变，父母不再企求生儿子，只图生女儿，因为女儿可能受到皇帝的恩宠而全家鸡犬升天、飞黄腾达。

不过，这个"不重生男重生女"的发明者、实行者与鼓动者，恰恰又是男人。因为男人可以利用女人得个一官半职、名利双收。虽然，这并不是件光彩的事情，却也令人振奋、令人看到了一条出路。《长恨歌》岂不是给了求名利的男人一个指路明灯？

这样的故事在中国历史上并不鲜见。

南北朝时期的北齐国曾有斛律金任过左丞相、咸阳武王，八十岁时因病去世。他的长子斛律光任职大将军、次子斛律羡及嫡孙斛律武并列为开府仪同三司，各自镇守一方，其余子孙中被封侯显贵者很多。

固然，这一家有本身的显赫与各人的本领，但其中一个重要因素就在于家门中出了一个皇后、两个太子妃、三个帝封公主。斛律家族在北齐大臣中受到的恩宠，三世以来无人匹敌；到了武成帝（肃宗）以来，礼遇尤重，每逢朝见大臣，皇上常允许他们家的人乘车直至殿阶前,有时还派出官车前往迎接。

对于这种情况,斛律金生前已十分担忧。他曾对他儿子斛律光说:"我虽不读书,但听说自古以来外戚很少有能保全家族的。"斛律光尤其谈到:"女眷在宫中有宠,会招致其他权贵忌妒;失宠,是受到天子憎恶……"

一个家族身名如此红火,原因当然很多,斛律金看到了其中"女眷"的作用,这不能不令人佩服他的明智。

令人更惊讶的还在于,斛律金直接表示:

我家直以勋劳致富贵,何必藉女宠也!

一位堂堂的左丞相、咸阳武王要小辈依靠自己的能力博取功名,千万不能利用女人去受宠,也算是难能可贵。

利用女人的关系谋取名利,这在中国又叫"裙带风"。望文生义,也就是拽住女人飘柔的裙带而升攀。其实,在以一个男人为中心的社会中,这种举动难免有点"那个"。

可是,种种议论怎抵挡得住诱人的名呀、利呀——反正,议论阻碍不了我的吆五喝六、阻碍不了我的奢华享受、阻碍不了我的三房四妾,这才是实在的呢!

不过,裙带不是钢带、铁带,而只是布带。一个大男人抓住布带,又如何承受得起?终于,分崩离析、带断人坠,这下可惨了。

权势和女色

唐高祖李渊即位以后,颇好声色。宫中在皇后之下有四贵妃,贵妃之下有九嫔妃,另有婕妤、美人、才人各九个,宝林、御女、采女各二十七个。从此,李渊将国政大事皆委托给大臣和他的儿子李世民等人。是不是退休以后就耳根清净,没有烦恼了呢?不,在女人堆中,李渊也是够忙乎的了。岂止是忙乎,简直是焦头烂额、如热锅上的蚂蚁惶惶不可终日。

秦王李世民平定洛阳之后,唐高祖让贵妃等数人到洛阳挑选美人及收藏府库珍宝。贵妃们私自向李世民索宝求货,另外又替她们的亲属求官,李世民说:"宝货已经全部登记上奏,官职应当授给贤才和有功的人。"贵妃们就此与李世民结下了怨恨。

李世民以为淮安王李神通(世民叔父)有功,赏给田地数十顷。张婕妤的父亲因婕妤在宫中侍候唐高祖,请示皇上封赏,唐高祖就下令将这些田地赐给了他。李神通以为授给自己在先,不愿交出。张婕妤对唐高祖诉说道:"皇上下令赐给妾父的田地,被秦王夺去赏给了李神通。"唐高祖于是发怒,斥责李世民说:"我的诏令难道还不如你的口授吗?"

尹德妃的父亲阿鼠,骄横自恣,秦王府的属官杜如晦在经过他家门口时,阿鼠家童数人将杜如晦拉下马,殴打他,折断了杜如晦的一只手指,并且还说:"你是何人,敢过我家门而不下马!"阿鼠害怕李世民告诉唐高祖,先让尹德妃上奏说:"秦王的下属欺凌我家。"唐高祖再次发怒,斥责李世民说:"我的妃嫔家门尚且被你的左右欺凌,又何况百姓呢!"李世民再三向唐高祖解释,唐高祖到底都不肯相信。

唐高祖对李世民的结论是:

> 此儿久典兵在外,为书生所教,非复昔日子也。

不用多说了。唐高祖在女人堆中已是昏头昏脑、是非混淆、黑白不分了。

封建官僚与皇帝一方面将女人当作传宗接代的工具,另一方面又将女人作为玩物和泄欲对象。耳濡目染、鬓发厮磨,难免是宠爱有加。日积月累,终于发展到言听计从、从不怀疑的地步,这就太糟糕了。

李世民秉公办事,完全出于大唐社稷的需要,可时时处处受到唐高宗身边几个女人的滋扰。当然,这几个女人也是狐假虎威,拿着鸡毛当令箭,由着唐高祖去向李世民咆哮、发火。她们才不管呢,要的只是钱、财、官、势,如此而已。

幸亏有那么一个儿子李世民,否则李渊真不知如何下场。陷女人堆而不能自拔者当中,李渊的命运大概还算好的。

对于这类情况,李白有《雪谗诗》一章,其中云:"彼妇人之猖狂,不如鹊之彊彊。彼妇人之淫昏,不如鹑之奔奔。坦荡君子,无悦簧言。"如果说,这几句诗还较抽象的话,那么,下面这几句就直截了当了:"妲己灭纣,褒女惑周……汉祖吕氏,食其在傍。秦皇太后,毒亦淫荒。蟪蛛作昏,遂掩太阳。"

将亡国的原因归于女人,这是男人无能的表现。同样,相信女人言并作荒唐的处置,这更是男人无能的表现。

有了权、有了势必定还要有女人。三房四妾、三宫六院七十二妃,整日价陷在女人堆中,说三道四、喜怒无常,不将君王们弄出个精神失常已算幸事。唐高祖李渊不知是否有了此病,至少,已不太正常。

女人应是节和烈？

孔子删定的《诗经》，其中不乏对女性的赞誉。例如，谈到宗姻之贵者，有"平王之孙，齐侯之子"；"东宫之妹，邢侯之姨"。夸耀服饰之盛，有"副笄六珈"，"如山如河"；"玉之瑱也，象之揥也"。赞容色之美，有"手如柔荑，肤如凝脂，领如蝤蛴，齿如瓠犀，螓首蛾眉。巧笑倩兮，美目盼兮"。谈到嫁聘之侈，就有"百两彭彭，八鸾锵锵，不显其光。诸娣从之，祁祁如云，烂其盈门"。

令人不解的是，孔子对女人下的"政治结论"却是："唯女子与小人为难养也，近之则不孙，远之则怨。"鲁迅对此很不以为然，而来了一个问句：这句话不知是否包括他母亲在内？

我总怀疑，孔子对女人的结论，一定是受到过什么刺激而形成的。否则，这同他在《诗经》中所搜集、整理的讴歌女性的诗句岂非太不一致？史料也有限。似乎除了"子见南子"外，孔子再没同什么女人接触过呀。

再仔细推究，《诗经》中的描写只是外表形象，还没有到达古希腊时期对维纳斯线条、三围乃至某些器官的颂扬。

也许，这些描写，又正符合了孔子"温良恭俭让"的行为规范。对于女性，也就是低眉顺眼、温柔体贴、细声低语、笑不露齿等等这一套了。

这些，似乎同"节、烈"这两个硬梆梆、干巴巴的字实在不相干。

可不是，中国的传统文化就是规范了女人的节和烈；或许，这正是女人名利的集中体现。

史书上出现"列女传"正是始于《后汉书》(《列传第七十四》,有鲍宣妻、王霸妻、姜诗妻、周郁妻等十七人)。从此以后,每一部正史总少不了烈女的名单。范晔还像煞有介事地将烈女分为:贤妃、哲妇、高士、贞女(《列女传》引言)。

一部《列女传》,动辄砍下自己手臂(被男人碰了一下)、上吊自尽(被男人偷看了一眼)。用如此"刚烈"来要求"巧笑倩兮"、"美目盼兮"的女人,我终于发现了男人们不仅要求女人"阴柔",也要求女人"阳刚"。这一点已经超过了对男人本身的规范。请问,男人有"失贞"之说吗?男人实在是放纵了自己。

做节妇、做烈妇,不过是增添男人一份谈话的资料,不过是为女人提供一种范例而已。问题还在于,树了"贞节牌坊"、奉为"烈女",只是有了"名",至于"利"又让男人们独享了。悲夫!

历史书上表彰的另外一些女性似乎还要崇高些。

王莽女为汉平帝后。自刘氏之废,常称疾不朝会。莽伤哀,欲嫁之,后不肯,及莽败,后曰:"何面目以见汉家。"自投火中而死。杨坚女为周宣帝后,知其父有异图,意颇不平,形于言色,及禅位,愤惋愈甚。坚内甚愧之,欲夺其志,后誓不许,乃止。齐湣王失国,王孙贾从王,失王之处。其母曰:"汝朝出而晚来,则吾倚门而望;汝暮出而不还,则吾倚闾而望。汝今事王,不知王处,汝尚何归?"贾乃入市,呼市人攻杀淖齿,卒以复国。

真正是巾帼不让须眉!在爱国、叛国的大是大非中,男人简直不如女人。真让我们这些后辈男人羞煞而无地自容。这大概才是"节"、"烈"的最高表现。

未嫁时,忠于父母("身体发肤,受之父母,不敢毁伤");出嫁后,忠于丈夫("饿死事小,失节事大");丈夫死了,忠于儿子(一女不嫁二夫)。其中,贯穿始终的还是忠君爱国。如此一对比,女人显然比男人活得累多了!

贪心不足，适得其反

俗话说："人心不足蛇吞象。"以平常人、平常心对待平常事的毕竟不是很多。人的欲望是很难完全满足的，又有句俗话："吃在口里，望在碗里。"从没有吃到有了吃；再到吃山珍、吃海味，"天上的飞龙地上的驴"。饕餮者拍着圆滚滚的肚皮还嚷着没吃饱、没喝足。

同样，从高山上下来走到平原、山顶洞、稻草铺、明堂瓦屋、高楼大厦，演出了人类居住的变化轨迹。那么，从一室一厅到多室多厅，又怎么会厌其多呢？

真是一种悖论。人因为不满足，一步步走向科学的殿堂；人因为不满足，一步步走向囹圄之地。

这里不是一片混沌，不可分割。问题的关键就在于，人不能任其私欲不满足，甚至用种种不合法的手段去满足自己的私欲；到头来，只会是贪得无厌，适得其反。为此，古往今来，上演了一幕幕悲剧，足以发人深省。

南朝中书令王僧达，从小聪明能文，生性不拘常检点，孝武帝即位时提拔为仆射，位居孝武帝的两个心腹大臣之上。王僧达自负才高，以为当世莫及，在朝一二年的时间，就希望得到宰相位置。然而，使他意想不到的是，却被降职为护军；他怏怏不得志，多次请求出外做官，这又惹怒了皇上，被削降职位。王僧达因羞耻而生怒，所上表奏，言辞激昂，又好非议朝政。终于，王僧达被诬串通谋反而收监赐死。

坏就坏在王僧达贪心不足。

按照他的年龄、资历、辈份（这几条有时也相当重要），不多几年就任重要官职仆射已属非易。也许太顺当了，也许升得太快了，王僧达自以为"一人之下，万人之上"的宰相已是囊中之物、唾手可得。

往往是这样的情况，"欲速则不达"后一个筋斗从云雾中翻滚下来，于是沮丧、颓唐、气馁、怨恨。他会怪天怪地，唯独不怪自己——也许，最多就是自责"生不逢时"。可是，这又算什么自责呢？

人每每处于矛盾之中：无进取心，胸无大志，难以振翅飞翔；有了追名逐利心，却又败于其中，甚至遭灭顶之灾，如王僧达之流。

王僧达式的人物可以排出长长一串。直至今天，张僧达、李僧达辈还在衍生、表演。

那么，是不是进取与贪婪就真的难以分割呢？王僧达如果不觊觎宰相位置又如何呢？

我想，人的志向当然要高远；但是，绝不是为了满足个人的私欲。岂不闻"手莫伸，伸手便被捉"？如此而已。

"鸡犬升天"以后……

中国人是注重伦理的。一旦功成名就，别说妻呀、子呀、女呀等等，七大姑八大姨都纷纷沾光，不弄个三品四品，也起码是七品八品，谁说仅仅是"芝麻官"呢，好歹也是个"官"。这叫穷帮穷、富帮富，"有福同享，有难同当"。至于七拐八弯的是否有真才实学，是否为当官的料，这就不去管他了。反正，先图个名，再捞点利。大约这也是传统思想中的"团结精神"。

从反面理解的话，那就属于图了一个名，就拼命捞。也许一个人捞的利毕竟有限，那么十个八个的，岂非多了十双八双手去捞利。两相比较，偌大的利为何又不捞呢？

至于"升天"以后呢？

汉桓帝时，梁冀一门，前后七人封侯，家出三名皇后、六个贵人、两个大将军……这决非是人人杀敌勇猛、治国有方，无非是沾了梁冀一个人的光。当时，凡是各地贡献，先入冀门；百官迁召，先谢冀恩；生杀予夺，任其所便。

原来"鸡犬"升天的另外一个好处就是紧抱成团、荣辱与共，所谓"一荣俱荣、一损俱损"。动了其中一户，便会"烽火台"报警连成一气。更要命的是，政权、人权、财权、军权等等各大要害部门均为我之"鸡犬"，你又奈何？

这种"梁家天下"引起了朝政的不安与恐慌。

终于，太学生刘陶冒死上谏，陈述了汉家王朝始于布衣百姓、平定纷乱、抑强扶弱，才开创了帝王基业，而"流福遗祚，至于陛下"。眼下的情况是，小人得掌国政大柄，草菅人命，就像虎豹钻入小鹿群中，豺狼扑食于春天畜牧的园地……其关键就在于："权去己而不知，威离身而不顾，古今一揆，成败同势。"话说到这个份上，汉桓帝不得不深思了。

倒也不在于书生议论。事实是梁冀一门结帮成派，几乎同朝庭对抗。汉桓帝下了决心，在刘陶上书四年以后，下令诛杀梁氏全家。汉桓帝大概还不会制定一个什么"宽大政策"，或者是"重在表现"。一人犯罪，连同全家，我们早已是司空见惯。

原来如此，鸡犬升天以后跌到了地下，跌到了十八层地狱，谁叫你当初"升天"的呢？

对于这一点，也许有点"当局者迷，旁观者清"的况味。

晋代时，齐王司马冏扶摇直上，狐朋狗友也纷纷沾了光。他们借司马冏的名，又大肆侵夺，旁人一下子也无可奈何。又是一位书生、司马冏的谋臣孙惠上书说："天下有五难，四不可，而明公皆居之：冒犯锋刃，一难也；聚致英豪，二难也；与将士均劳苦，三难也；以弱胜强，四难也；兴复皇业，五难也。大名不可久荷，大功不可久任，大权不可久执，大威不可久居。"

真难为了这批书生。骨鲠在喉，不吐不快。可是，又不能直截了当、快人快语。非得是拐弯抹角、引经据典、比喻含蓄、抽象说理。能说你搞"鸡犬升天"么？能说你骄横擅权、结帮拉派么？能说你危机四伏、刀光剑影么？统统不行。可就是这种十分温柔、体贴、关怀、恳切的话，"得道"者也是听不进的。问题又来了。鸡犬们已升了天，他们怎甘心扔下还没坐热的金交椅而重归旧巢呢？再说，即使是"得道"之人栽了跟斗，与我何干？又怎么会轮到我？这真正是一种可悲的侥幸心理作祟。

比起梁冀来，司马冏更可怜。孙惠上书一年不到，司马冏就被长沙、成都二王所围杀。至于那帮鸡犬们，自然就跟着倒霉了。

"心好利"者的下场

中国古代对于人性,大致上有四种观点:性善论、性恶论、有善有恶论和无善无恶论。《三字经》开头第一句话就是:"人之初,性本善。"性善论的鼻祖是孟子。稍出其后的荀子来了个针锋相对:

> 人之性恶,其善者伪也。

他认为人的本性是"恶";所谓"善",是后天人为的,如学习、教育、修养等。荀子的观点基于这样一个事实:"人之性:生而有好利焉……生而有疾恶焉……生而有耳目之欲。"甚至,荀子考虑到人的官能作用:"目好色,耳好声,口好味,心好利,骨体肤理好愉佚。"于是,有了这样一个结论:"是皆生于人之性情者也。"

想想也是,大千世界,凡夫俗子,谁不想吃得好、穿得好、住得好、玩得好?不说山珍海味、美味佳肴,也得是鱼肉海鲜、百果好酿;不说绫罗绸缎、"名牌"品位,也得是鲜亮夺目、光彩照人;不说高山流水、法式别墅,也得是几房几厅、"星级"档次,乐不思蜀。

俗话说,"水往低处流,人往高处走"。这个"高",不一定就是高官厚禄、光宗耀祖,对于"凡夫俗子"来说,也许就是衣食住行的高档次和高享受。

本来,一分耕耘,一分收获,虽说也有"只问耕耘,不问收获"的讲法,实际上,人付出了劳动,总会有相应的报酬。挖出一口井,会有甜美的甘泉;春种秋收,也就有了一番欢喜。

问题的复杂性就在于,对那些只是"心好利"者,又奈何呢?总有些人,期待着"衣来伸手、饭来张口",只追慕享受,不思付出劳动。不懂得这一点,就不会理解什么是"利欲熏心",为什么从古到今总有人会不择手段、铤而走险以致身陷囹圄、遭人诟骂了。

在礼崩乐坏的春秋战国,这类人大概是越来越多地出现了。

荀子也强调"正名"。他的"正名",就是要用国家法令定"名",以后就不得随便更改。荀子认为,王者制"名",就能"道行而志通"。荀子还以历史上发生的一些事作例证,一旦"乱正名",就会使老百姓产生疑惑,无所适从,也就多出辨讼案件来了。

因此,定法律、讲规矩、守纪律、有准则,这就是"名"的作用。有了这样的"名",就会使人的利欲之心得到控制,使"心好利"者有所戒惧,从而制止人性之"恶"。

有这样一句话:"制法度,以矫饰人之性情而正之,以扰化人之性情而导之也。"我以为,这几乎可以看作以后种种法典出台的理论依据。

当然,人天生具有"目好色,耳好声,口好味,心好利"的本能,从而滋生物欲、情欲、名欲之类私欲。麻烦就在于"有欲不得,则欲不能无求,求而无度量无界,则不能不争",其严重后果就成为"争则乱,乱则穷"。

正因为这样,荀子就提出了"礼乐"的要求与措施:"礼义以分之,以养人之欲,给人之求。"荀子不是一味地主张消灭"欲",而是主张通过礼乐去调节"人之欲"。

那么,荀子"礼乐"的核心又是什么呢?

首先,"贵贱有等、长幼有差、贫富轻重,皆有称者也"。

其次,"贵贵、尊尊、老老、长长,义之伦也。行之得其节,礼之序也"。

另外,"无功不赏,无罪不罚";"赏重者强,赏轻者弱;刑威者强,刑偏者弱"。

真可谓"三管齐下"。一是明白自己所处地位;二是以礼来确定社会等差;三是赏罚分明。

当人们私欲膨胀时,应该扪心自问一个"礼"字,得明白:我是怎样一个人;我应该如何对待别人;我可以得赏还是受罚。一旦私心萌动时,触碰到这个"礼",多少会有所收敛,悬崖勒马。

大凡读过初中的今人都会熟悉荀子的名篇《劝学》:

> 君子曰:学不可以已。青,取之于蓝,而青于蓝;冰,水为之,而寒于水。木直中绳,𫐓以为轮,其曲中规;虽有槁曝,不复挺者,𫐓使之然也。故木受绳则直,金就砺则利,君子博学而日参省乎己,则知明而行无过矣。

重温这段耳熟能详的话,我这才明白过来,学习,正是荀子对"心好利"者的又一劝诫。只有多读书,才会明"礼","吾日三省吾身",终于"知明"而"行无过"了。

荀子真是谆谆教诲呀。那些"心好利"者以致犯了法、违了纪,都会首先痛哭流涕地表示,我没有好好学习呀!学什么呢?当代人当然是"宪法"、"刑法"、"公务员法"、"企业法"、"教师法"、"学生守则"等等。

登高必跌重

　　曹雪芹的一部《红楼梦》真是一座突兀而起的高峰,各人因所处位置不同,对它的主题,往往见仁见智。有人说《红楼梦》是以宝黛爱情悲剧为主线,以"调包计"为高潮,黛玉焚稿、泪尽而逝以及宝玉悬崖撒手为结束。有人说,《红楼梦》是部政治小说,以第四回为总纲,写的是贾、史、王、薛四大家族兴衰史;不读《红楼梦》,就不懂得中国封建社会。有人说,《红楼梦》是部哲理小说:"千里搭长棚,没有不散的宴席","月满则亏、水盈则溢";所谓"登高必跌重",等等。诸如此类说法都有道理,那总比"旧红学"胡乱猜疑强得多,因为都尊重了小说原著、以小说本身为依据,只是论点不同而"横看成岭侧成峰"。

　　不过,我觉得《红楼梦》所含的哲理实在是对人生的一种概括。从鲜花著锦、烈火烹油之势,到"绳床瓦灶、举家食粥",曹雪芹百思不得其解。实在地说,"拔了毛的凤凰不如鸡",大户最后的结局往往是惨不忍睹的。

　　这其中的奥妙古人早就用四个字来作了概括:"世事无常。"谁知道呢,今日是声势赫赫、只手掌乾坤,明日却锒铛入狱、身不由己;今日是腰缠万贯、一掷千金,明日却乞讨过日、受尽白眼……

　　老百姓有一句俗话:别看你今日闹得欢,只怕明天拉清单。坏就坏在大概想不到"明天"。

　　唐代宗有个内侍监鱼朝恩手中掌握羽林军大权,宠任无比,代宗常与他议论军国大事,势倾朝野。鱼朝恩还喜欢在大庭广众面前恣谈时政、凌辱百官。终于,鱼朝恩走上了他的顶点,也引起了众怒。宰相元载抓住鱼朝恩所说"天下哪一件事不由我出"一句话,连结大臣奏明皇上,说鱼朝恩图谋不轨。唐代宗也已感到鱼朝恩的威胁,同意用诱杀的办法除掉了鱼朝恩。

本来,深受其苦的元载应该是吸取教训而小心翼翼——至少不要像鱼朝恩那样忘乎所以、横行霸道呢。可是,元载自持处死鱼朝恩有功,而有恃无恐。他意气盛满,骄纵放肆,经常当众自吹,称自己有文武才略,古今无人可比;元载还玩弄权术,狡诈多端,贿赂越职,奢侈无度。

他的权势达到如何程度,且举一例。元载家乡有一老者请求做官。元载打量这位老者不足以任事,仅赠给他一封写给河北官署的书信,就把他打发走了。老者很不高兴;再打开书信,发现竟然连一句话都没有写,只是签了个名字,老者大怒。可是,他还是拿了书信到幽州刺史府试探一下。当地官员听说有元载书信,大为震惊,用箱子将此件妥善保存;又让老者住在上等馆舍,宴席款待,赠送老者绢布上千匹。史书最后用了一句十分妙的话:"其威权动人如此。"真正是光焰四射、其热无比。

到了这当口,也意味着元载的末日到了。他最终也落得个身首分家的地步。

所谓"登高必跌重"不是平白无故的,"登高"的前前后后已经是作恶多端、恶贯满盈了。其人贪婪无比,滥用权力,树起了太多的对立面,终于是墙倒众人推,大快人心事。

北魏孝庄皇后的父亲尔朱荣,既为国丈,又是辅助孝庄帝即位的功臣,成为"一人之下,万人之上"的宰相;又被封为二十万户。

尔朱荣不甘于所得的一切。他安置亲信私党,布列魏主身边,暗地里监视动静,大小事了如指掌。魏主尽管受制于朱尔荣,然而平日勤于政事,从早到晚不知疲倦;还亲览诉状,昭雪冤案。不料,尔朱荣却十分不高兴。以后，又因任命地方官员等事与魏主公开顶撞，魏主十分恼火地表示："天柱若不为人臣，朕亦须代；如其犹存臣节，无代天下百官之理。"尔朱荣却说，你这天子的位置是什么人帮你立的？今天竟然我的话也不听了？！

终于，尔朱荣也被魏孝庄诱杀。

虽然，孔子早就以为"四十而不惑，五十而知天命"云云，事实上，真正能把握住自己的毕竟不是很多；人们往往是被胜利冲昏头脑，一发而不可收，个人私欲永远不满足。那时，也就意味着即将走向反面。有人说，这是上苍安排的报复，或者又叫还债。你只能得到这些，如今你得了太多，上苍让你呕出来——这大概会比死还难过的。

还是回到本文的开头。在《红楼梦》里，似乎也看不出贾家太多的坏事，尤其是与皇上、朝廷，似乎也没什么纠葛。但史学家认为，曹寅任江宁织造司时，假借康熙六次南巡而大肆侵吞、搜括，暴富一方。

雍正上台，固然是"一朝天子一朝臣"。但是，他也想反贪廉政一番。于是，他拿江南的曹家开了刀。

问题就在于，曹家本身也确有问题，不是嘛，"当年迎皇帝下江南，把银子用得像淌海水似的"。有一点可以肯定，这银子决不是贾家劳动所得。

虽有"乌进孝进租"、"乱判葫芦案"、"司棋撞墙"、王熙凤"毒设相思局"等等描写；但是，曹雪芹无一字干涉朝政，这里一定也有很多曲折故事。

不过，为祖上尊者讳，这也是中国读书人的传统美德。

"功高震主"析

　　每每翻阅中国历史书,都为大事成功、朝政既定之后的要员、大臣、将领被诛杀而感到震惊。韩信、霍光、周亚夫、谢安、高德政、李德裕……均为功高位重而不得善终者。这些血淋淋的事,均出于"功高震主"。

　　韩信临刑前仰天长叹:"狡兔死,良狗烹;高鸟尽,良弓藏。"其实这只是他被处死的一个原因。

　　运筹帷幄,攻城陷池,当然得用兵用将。一旦胜利在手、大权在握,皇上就会发现"马上得天下者","马下"不一定能"治天下"。于是,本来是功成名就的一批开国之臣纷纷落马。

　　其实,韩信讲的这十二个字还没有寻找到他死的根本原因。

　　本是流氓出身的刘邦,依仗着众多"哥儿们"出生入死,换来了汉朝刘家天下。刘邦心里明白,他比手下这批人并不高明多少,因此,就时时会有"芒刺在背"、"毛发为之森竖"的恐怖感觉,一是担心自己的龙椅坐不牢,二是担心传不了儿子、孙子、子子孙孙。于是就寻找借口,刀起头落。

　　从"臣"的方面看,昔日"哥儿们",今日却要下跪礼拜;往年的知己,如今却成为"天子",实在地说,也确实有不服的思想。流露得强烈、有动手之嫌的,当然也就被别人先下手为强了。

　　其实,还有一个更复杂的原因。说是论功行赏、"无功不受禄",真正能摆平每个人又谈何容易。总有些人从不满意、不满足、不服气开始,挑动是非,以求一逞。皇帝天子当然愿意听好话,又特别敏感"谋反"、"忤逆"之类的话题,终于是狼狈为奸、磨刀霍霍。

一个政权的转移、一个朝代的更迭,总伴随着这种"功高震主"的刀光剑影,这又几乎成为一种规律。

有鉴于此,古人有云"功成名就身退"、"激流勇退"等等,这正是避开"功高震主"的好方法,那个"决策于千里之外"的张良,就是在刘邦坐上龙椅之后突然消失而去云游四方了。

怎料想,当年是两肋插刀、奋不顾身,如今却落得个人头落地,尸抛荒郊;只愿是,功成名就,衣锦还乡,不枉大丈夫人生一场。

既然是规律,总有其深刻的原因,我想,纵使有张良式的躲避方法,但彻底想明白人世与人主,真正能这么做的,又有几人?

权势太盛怎了得

南朝宋明帝泰豫元年二月,王皇后的兄长江安懿侯王景文早已是权势炙手可热,非同一般。可是,王景文却心中明白,如此居高位而气盛,并非是件好事,决定辞职。个中原委,无外乎一是引起宋明帝的不快,因为在某种程度上有"架空"的嫌疑;二是引起朝廷官员的嫉妒,因为只手遮天将会使别人有大权旁落之感。

王景文决定请求辞位并已有多次;而这一次更是十分明白:"解职扬州任"。不料,面对这份上表,宋明帝的下诏是这样回答的:"夫贵高有危殆之惧。卑贱有填壑之忧,有心于避祸,不如无心于任运,存亡之要巨细一揆耳。"此话说得十分抽象,大意是人站在高处会有恐惧感,人在底层也有被埋没的忧患;如果有心躲开灾难,不如当初不出任做官。要死要活的秘诀就在于能分清大事小事呀。王景文似乎接到了"哀的美敦书",不知何日死亡之神就会降临。其实,问题的关键就在于王景文权势太盛。

宋明帝的龙椅坐了时间不长已是病入膏肓。他最大的忧虑就是一旦驾崩,皇后临朝听政,那么王景文就会以国舅的地位而成为宰相。这还是一。更令宋明帝害怕的是,王家宗族强盛,可能有更大的不轨行为。至于什么"不轨",历史记载只是"或有异图"四个字。也许,宋明帝更担忧的是王家取代刘家,他无颜见列祖列宗,甚至给他祭祀的人也没有了。问题就到了如此可怕的地步。

果然不久,宋明帝派使者送"虀粉",也就是把粉末毒药给王景文,令其自尽。当然,他也没让王景文死得不明不白,亲手诏书写道:"与你打交道多年,为了保全王家的门户,才有这样的处分。"

接下来,历史书犹如小说家言作了十分精彩的描叙。

诏书到时,王景文正与客人下围棋,打开封函一看,随手放在棋盘旁,神色不变,继续下棋,而且还和客人讨论如何打劫取胜。一盘下完,将棋子收放在精巧的匣子里。这才慢慢地告诉别人:"刚才接到圣旨,命我自尽。"周围人极为震怒,表示不能坐等受死,应该拼个鱼死网破。王景文说了十数字:"知卿至心,若见念者,为我百口计。"然后研墨给皇上答信致谢,饮下毒药而死。

应该讲,在整个富有戏剧性的过程中,王景文心中实在太明白了。权势太盛,绝不会有好结果。可是,上船容易下船难,王景文想引退为时已晚。于是,只能是死路一条。

为了避免这可悲而又可怕的下场,凡是头脑清醒的有识之士,总是见好就收、激流勇退了。南北朝时,孝昭帝曾打算任用王晞为侍郎,王晞执意推辞不受。有人就劝王晞不要自行疏远。王晞说:"我从少年以来,观察重要人物太多了。少年得志者,很少能避免颠覆的。况且我生性实在散漫,不能胜任时务。"

我特别欣赏的是王晞接着说的十六个字:

> 人主恩私,何由可保!万一披猖,求退无地。

这就叫做看破红尘。身在江湖身不由己,那么,我不入这江湖呢?

南朝宋武帝时顾觊之为吏部尚书。面对朝庭中有人擅权、有人奉迎、有人充当皇帝的玩偶,真是义愤填膺。他置生死、荣辱于度外,说了一段掷地有声的话:

> 人禀命有定分,非智力可移。唯应募己守道;而暗者不达,妄意侥幸,徒亏雅道,无关得丧。

顾觊之实质上提出了一个人格的问题。不管在位与不在位,不管是官小官大,首先得公正做人、坚守正道。如果真是这样,那么进与退也都得首先考虑国家的得与失。因此,不管是小权还是大权,还得用好这个权。肝胆相照、可耀日月,有何惧哉!

这就是中国历史上对权力认识的二重性:不要权,躲得远远的;用好权,"在官一任,造福一方"。只有卑鄙的小人才去拼命钻营要权,然后再作威作福。一部中国历史,这样的人物也实在太多了。

顾觊之授命他的弟子顾原,按照他的思想写了一部《定命论》;至今,《定命论》还给人很多的启发。

且看恃功自负

从一定的意义上说，名利也是一种负担。因为有了名利，往往自我迷恋、自我陶醉而不辨东西南北。名利的光圈笼罩在身时，旁人总以敬慕的眼光注视着你；此时，你更觉是高人一等、不同凡响。用句老百姓的话来说，就是"眼睛生在额头上"，因为此时，只会是抬头看天了。

人有时真会陷入怪圈。身处逆境，往往会有一种拼搏、向上、奋进的动力，自己也会小心翼翼，"吾日三省吾身"。可一旦功成名就，头脑就会晕晕乎乎，不知其所以然了。君不见，官员犯罪而成为阶下囚的不多的是?实在地说，有了点功，带来了名利，如不能正确对待，反而最终害了自己。

三国时的诸葛恪，是诸葛亮之兄诸葛瑾的儿子。此人文武韬略，无所不精，一时也颇负盛名。

吴主孙权觉得太子孙亮年幼，让群臣议论推荐辅佐之人。孙峻推举大将军诸葛恪可以担当辅佐太子的大事，而吴主嫌诸葛恪刚愎自用。孙峻说："当今朝臣的才能，没有比得上诸葛恪的。"孙权就同意重用。

诸葛恪的才华，在吴国早已出了名；可他的自负，也广为人知。有一件事很说明问题。曾有朋友真心诚意地对他说："世事多难，您每遇到事情，要十思而行。"诸葛恪却说："昔日季文子说'三思而后行'，孔子说'再思就行了'。如今你让我十思，分明是认为我的才能低劣呀！"如此这般，他的朋友还能说什么呢？他父亲诸葛瑾时时为其忧虑，说："这孩子并非是保家之主呀。"诸葛瑾的朋友、奋威将军张承也以为诸葛恪必毁诸葛氏全家。

诸葛恪以大将军之职率兵抗击魏国司马师的进攻，大获全胜。从此，官员的罢免更迭由他说了算，试图以此树立绝对的威严；并撤换朝廷宿卫部队为自己的亲信，又下令宫中戒严，企图独揽朝政。诸葛恪终于将自己推上了顶峰。

原来保荐他的孙峻，也感受到了诸葛恪的威胁。终于，孙峻乘百姓多怨、众官所嫌，搜集其罪状，告诉幼主说"诸葛恪企图政变"，并谋划置酒杀戮。诸葛恪前来赴宴，孙峻手起刀落，杀了诸葛恪，并灭诸葛氏三族。

不管怎么说，诸葛亮是以忠心耿耿、小心翼翼而名闻天下的。《三国演义》中的诸葛瑾又是以唯唯诺诺、胆小怕事的形象而出现的。真没想到，诸葛氏后代却有这么一个人物。

不错，从才华上讲，诸葛恪也非同寻常。他有文有武，并立下战功。事情就坏在了这一步。因为有才华，诸葛恪刚愎自用；因为有战功，诸葛恪恃功自负。

问题还不仅仅到了这一步。

诸葛恪肯定以为，这吴国天下是他保下的；这吴国上下，没有一个人超得过他；这吴国的皇帝是个无用之物，那么，"我又为什么不能取而代之呢！"这就是刚愎自用、恃功自负的必然结果。实际上，人在如此情况下往往会冲昏头脑；尤其想不到的是，他犯了众怒。别人使用了小小的阴谋诡计，他就束手就擒，呜呼哀哉了。

可惜的是，诸葛瑾与其儿子诸葛恪的事迹被人谈得太少。在诸葛亮的祠堂或其他什么纪念馆之类的地方，也可以介绍一下他的兄长、侄子。后人可以从中发现与诸葛亮性格对立的诸葛恪，最后竟成为这般模样，岂不发人深省？

贪婪没好下场

我们都知道战国时期的赵括"纸上谈兵"惨遭覆灭的故事。历史记载突出了赵括的浮夸、不谙实事,甚至好口出狂言。其实,赵括的失败还在于贪婪。

公元前 260 年,秦国攻打赵国上党地区的长平城。赵国的将军廉颇见不能胜秦,坚壁不出。赵王以为廉颇胆怯不战,正在恼恨,又遇上秦国派人离间,就让赵括代替廉颇为将。

俗话说:"知子莫如母。"在这关头,赵括的母亲又是上书、又是求见,请求赵王收回成命。原来,赵括从小就学习兵法,自认为天下无敌手,曾经和他的父亲赵奢谈论兵家之道。赵奢虽然难不住他,但是也不称赞他。赵奢认为:"兵事,是非常危险的,而赵括却不以为然。假若赵国不用赵括为将则罢,如果一定要用他为将,使赵国兵败军丧者必定是赵括。"赵括的母亲向赵王表达了赵括父亲的意思。赵王执迷不悟,坚持派赵括为将军。结果是赵军大败、赵括被射死,45 万人先后被秦军活埋,只有 240 人逃归赵国。

问题仅仅出在"纸上谈兵"吗?非也。赵括的母亲在向赵王的陈述中,实质上已讲出了赵括更为恶劣的品德:贪婪。赵母说,以前他的父亲任将军时,凡君王及宗室贵戚所赏赐的财物,全部都分给军中官吏和士大夫。可是,赵括刚任为将军,就将君王所赐的钱财和布匹都拿回家里藏起来,而且还每天打听着便宜的田地和宅院,能买的就买下……

写到这儿，我以为说赵括"纸上谈兵"实在是以讹传讹。赵母讲赵括贪婪，真是点到了问题的要害。不错，夸夸其谈、自以为是，的确会误事；但是，一旦沾染上贪婪，就变得更不好收拾了。问题就在于，人一贪婪，只顾私利，哪有功夫再去管国家大事？而且，打开了贪婪的决口，怎么堵也不行了；因为，人的欲望、私利是没止境的。贪婪者，什么时候会表示"见好就收"呢？

　　问题还在于，贪婪者手中有权，那会滥用职权，以满足私欲。于是上行下效，周围的人都像患流行病一样去贪污受贿。这就苦了那些没职没权的，虽然没什么可贪婪，但还会有什么心思为国效劳、为国打仗呢？从这个角度讲，贪婪比"纸上谈兵"更可怕。

　　赵母用赵括的父亲与赵括品行上的截然相反来劝阻赵王。赵王一意孤行，终于得来了惨败。因此，单单从"纸上谈兵"来说赵括，显然是没抓住要害。

　　贪婪者面对这样的历史记载，手还想伸长吗？不过，贪婪者又有几个会去看历史书呢？报纸也不会看的。如若不信，可去调查一番，如何？

随心所欲者戒

古语有云："人生识字忧患始。"本来，不知天高地厚、人间疾苦，那该有多好。衣来伸手、饭来张口，倒也舒坦自得。可现实布满荆棘、险滩、深坑，人在世上不小心翼翼、前顾后瞻，实在也不行。

从这个角度讲，所谓长大懂事，也就是不能随心所欲了。衣食住行、人来人往、谋生取义，无一不得不用脑子想一想。想什么呢？无外乎为什么去干，干了有什么好处，有什么坏处，不干又如何。

这么一来，岂不太累？没办法。基督教将人的投胎落地叫做"原罪"、佛教将人的降生叫做"因果轮回"，这都是一种悲哀的人生态度。

实在地说，人又不能太理性化了。天文学家紧紧跟踪着宇宙中的彗星，精心地计算着某时某刻将与地球相吻。如此这般，岂不算计着世纪末的到来？

不过，人失去了理性，随心所欲地生活实在也不行。

凡夫俗子、平民百姓，你要放荡不羁、为所欲为，还真的困难。如果是个大人物，也来个随心所欲的话，问题可更没这么简单了。

东晋时期，以苻建为首的秦国，史称为前秦，属于十六国之一，建都长安，曾一度称霸江北为大国。公元355年六月，秦王苻建病逝。临终前，苻建对他的嗣子说：各地部落主帅及朝中掌权大臣，如果不服从你的命令，"宜渐除之"。本来嘛，"君要臣死，臣不得不死"。苻建的要求是突出一个"渐"字，也就是慢慢来。为什么如此说,苻建或许是担忧儿子急躁、或许是担忧儿子杀心太重……

　　儿子苻生即位后,可没将老子的嘱托牢记在心,很快便先后诛杀了丞相雷弱儿与司空王堕等顾命大臣。苻生的随心所欲达到了骇人听闻的地步。有人告诉他潼关一带猛虎伤人,苻生说:"野兽饥则食人,饱当自止。因为犯罪者太多,天助我诛杀的。"

　　苻生有疾,太医诊断说:"陛下无它疾病,只因吃枣太多。"苻生大怒道:"你又不是圣人,怎么会知道我吃了枣呢!"于是就杀了太医。有人向苻生奏言说:"太白星东升,象征暴兵必起于京城。"他却这样回答:"太白星东升,是因为自己渴了,这有什么奇怪呢!"

　　请看,堂堂一个人主、国君、天子,如此随心所欲,又怎么能管得好自己的国家?只怕是到头来,自己的性命也难保。果然,苻生又随心所欲、毫无根据地在一天夜间对侍婢说:"苻坚兄弟也不可信,明日我要将他们杀掉。"侍婢将此话传告苻坚兄弟,苻坚兄弟连夜率兵杀入宫中,将苻生杀掉。于是苻坚即秦王位。

　　司马光对此事的评论是:既然秦王苻建立了顾命大臣,就应当让他们去辅佐继承王位的嗣子,当好左右羽翼。可是,封为羽翼而又教唆嗣子去剪除羽翼,能不出现死人的事吗!司马光的结论是:"知其不忠,则勿任而已矣;任以大柄,又从而猜之,鲜有不召乱者也。"这就是"用人不疑、疑人不用"的意思了。我倒觉得问题并不在苻建。皇上立顾命大臣,实在是迫不得已。他会在阴间眼睁睁地看着儿子受顾命大臣的教育与管束?咸丰立顾命八大臣,背后又在慈禧面前表示了对他们的怀疑与杀心。这,不足为怪。

　　问题就在于苻生当了皇帝以后手舞足蹈、心花怒放,实在是失去了理智。就此,他随心所欲,胡作非为,视杀人为儿戏,这还得了?

　　终于,随心所欲者以随心所欲始,又以随心所欲终,早早地见了阎王。如此而已,岂有它哉。

嗜杀之"名"

与"仁、义、信"相反的，则是"残、叛、伪"。前者留下的是美名，后者留下的是诟病。问题又在于，政治、外交、军事等等单凭"仁、义、信"往往又办不成大事；"残、叛、伪"有时倒也成就了一番大事。

这让后人又怎么说呢？

大概又得提起刘邦与项羽。虽然，刘邦建汉平定中原、统一天下，项羽是霸王别姬、自刎乌江。可是，从司马迁开始，更多的同情寄予的是项羽，刘邦未免有流氓之嫌。问题就在于，项羽身上多的是"仁、义、信"，而刘邦则是"残、叛、伪"——但刘邦还是"胜利"了。

我又想起了汉武帝。

作为刘邦的后代刘彻，凭借"文景之治"，汉王朝达到一个鼎盛时期，如日中天；另外汉武帝除文韬武略外，还有心狠手辣的一面。

史书云，汉武帝天资刚毅，闻臣下有杀人者，不唯不加之罪，更喜而褒称之。问题来了，汉武帝是喜欢杀人的人，也许他是想避开刽子手的恶谥？也许他是利用别人杀人而过一把瘾？也许他正是想利用手下杀人而造成威严之势使人诚服？也许什么都不是？

还是说史实。

李广以"故将军"离休住到蓝田。一天晚上，李广到一亭，被一个喝醉酒的叫霸陵的尉官侮辱了一场。李广越想越气，就去拜见太守陈述一番。太守派人抓来那个尉官，随即杀掉。

这件事终究还是上报汉武帝，太守也"自陈谢罪"。汉武帝却表示:将军,是"国之爪也。怒形则千里悚,威振则万物伏"。今天,为这些鸡鸣狗盗之徒说什么有罪,"岂朕之指哉!"

那么,就算一次侮辱,便要砍头,难免有点过分——人命关天呐!汉武帝反过来支持,说是为了将军,其实至少也表现出"杀人如麻"的一面。

还有一个例子。

一次监军御史将部队驻防地误以为商业区而穿过,守军胡建将其扣住而杀掉。胡建上报汉武帝:他是根据军法办事的。汉武帝对此又予以表彰:"三王或誓于军中,欲民先成其虑也;或誓于军门之外,欲民先意以待事也。"汉武帝百般抚慰,杀掉个把人,"建又何疑焉"?

不错,大开杀戒,滥捕无辜,是会造成鸦雀无声、万马齐喑。可是,如此代价值得吗?

作为一国之君,这样喜杀人者,除了种种阴暗心理外,是否还企图以此造成杀伐决断的"美名"呢?溯古论今,对汉武帝的评价当然会谈到他的文治武功,那么,再深入地问一下,这种文治武功又从何而来呢?如此"盛名"真能副实吗?

不管怎么说,以"喜杀人者"留在历史记录中,总不能算美名。

认识你自己

这个标题可不是我的创造。据说,古希腊罗马时期有一座祭庙,门楣上就镌刻着这么五个字。确实,人很聪明,能斗天、能斗地、也能斗人,但是,往往斗不了自己——关键是认识不了自己。

看人家参军当兵打仗,不用几年就扛起了肩章、斜挂了皮带,就以为这是一条出人头地、光宗耀祖的捷径。于是乎吃起了军饷。可是谁知道,听见枪响就哆嗦、看见打炮就往回逃——这又怎么当得了兵?

看人家鼓捣起买卖,不消几年就腰缠万贯、一掷千金、妻妾成群,以为这是发家致富的好机会。于是就走南闯北,买卖吃、穿、用各种商品。可是,既没那种敢下"赌注"的魄力,又没有能挡得住诱惑的能力。三下五除二,不弄个倾家荡产才怪呢。

到头来怨谁呢,只是不认识自己。凡事得问一问,我有多少能力去做这件事,能干好么?俗话说"没有金刚钻,不揽瓷器活"。问题在于,好多人都认为自己是包打天下的金刚钻,只要有好处,就去"钻",结果呢,不撞南墙不回头,悔之晚矣。

关于这一点,司马光在《资治通鉴·汉纪九》中有一段既生动又深刻的论述,大致意思是上天自然有它的分配;对动物来讲,既然给予了锋利的牙齿,就不会再让其头上长角;带有翅膀的却仅让其长两只脚。这意味着既然得到了大的东西,就不应该再去谋取小东西。司马光的观点是毫不含糊的:"夫已受大,又取小,天不能足,而况人乎！"

人不认识自己，将会带来灾难性的后果。

且举一例。

东晋时期，安帝禅位于桓玄。桓玄此人苛薄求细，喜好耍小聪明，炫耀自己的才能。主事大臣上奏议事，或有一字不规范，或有一言之谬误，必定要加以追纠，以此来显示自己。尚书在回答诏问时，误把"春菟"两字写为"春菟"，自尚书左丞王纳以下的所有文书官，全部被降职罢退。

作为一国之君，如此兴师动众，难免有小题大作、哗众取宠之嫌。

桓玄还亲手典注，直接任官，掌管文书；诏书和命令太多，有关部门奉诏对答不及。然而，事关大局的纪纲得不到整治，奏案多所积压，桓玄本人还不知道。

我们大致可以明白此人所作所为了。

桓玄人不算笨，但拘泥于小事。这种一个字、一个词细细追究的人，是怎么也当不好治理国家的君主的。我在想，假如桓玄能去做个教师，或者搞搞考据研究，也许比做皇帝有点出息。

桓玄很快引起朝廷民间的骚动不安，不久就被刘裕部属所杀，称帝还不到一年。何苦呢，当上皇帝反成短命鬼。安安稳稳做点能发挥自己所长的事，既快活又有成绩，这多好？可是，偏不，人真难认识自己。

其实，真正能做出成绩、甚至干出惊天动地伟业的人，从根本上说，还是认识了自己。

我又想起了曹操。群雄蜂起不久，曹操已有不小的势力。孙权对曹操俯首称臣，表示曹操可以做皇帝。曹操把孙权来书展示群臣说："孙权想把我推居火炉之上。"底下有人劝曹操废汉自立，曹操说：天命不在我。

这就是曹操。

无论从势力与能力，曹操废汉帝、自立为皇帝可以说是不费吹灰之力。然而，曹操明白，"挟天子以令诸侯"会比自己当皇帝好得多。汉献帝算什么，不过是手中的玩偶；可是，这个玩偶可以吓唬人、省自己的事；而自己去做皇帝，总也不合适。

　　我在想，也许曹操有先见之明吧。他如此这般，已被后人诟病到现在。如果真的自己当上皇帝，还不知被骂成什么样子呢。

　　曹操真聪明。

　　这个聪明，就是认识了自己。从实际情况来看，曹操的权势早已超过了汉献帝——汉献帝见到他，才几乎是俯首称臣呢。曹操可没去要这名份。

"祸水"新解

有些贪官银铛入狱后,往往会引起种种议论。其中有一种说法是,如果他的家里有一位"贤内助"少吹"枕边风",大约也不至于有今天这么一个阶下囚的地步。

比如最近江西省鹰潭市的检察院和法院依法起诉一个副市长受贿 16 万元、非法所得 10 余万元。这个副市长,从技术员步步擢升,可谓官运亨通,而此时却没了神气,他承认是"一时钱迷心窍",又说:"我一直是想当清官的,但这些年不断有人对我说'有权不用,过期作废',我爱人也经常给我吹风……"他的爱人作为共同受贿,此时也已入狱。不知她看到自己的丈夫"挖根子"挖出了她,又会如何动作?

这倒使我想起了一个古老的话题。司马迁在《史记·殷本纪》中写道:"帝纣……好酒淫乐,嬖于妇人,爱妲己,妲己之言是从。"他的根据还是武王伐殷时的《太誓》中的一句话:"今殷王纣乃用其妇人之言,自绝于天。"

此说一出,流传千年。鲁迅对此很不以为然。他在《阿Q正传·恋爱的悲剧》中,妙笔生花,发了一段"正言若反"的议论:

> 中国的男人,本来大半都可以做圣贤,可惜全被女人毁掉了。商是妲己闹亡的;周是褒姒弄坏的;秦……虽然史无明文,我们也假定他因为女人,大约未必十分错;而董卓可是的确给貂蝉害死了。

副市长的落马，使人看到了领导阶层中某些人的腐败。可是用"老婆不好"来解释实在荒唐而可笑。

怎么"枕边风"就这么厉害，一个赫赫副市长，被吹得晕头转向，而将手伸进别人的口袋？说到底，外因是通过内因起作用的。假如副市长的老婆又知法懂法，也许会有些制约作用。可是当本人贪欲无边、整天做发财梦时，哪怕是四大天王、金刚怒目，抑或是河东狮吼，也难以阻挡他们一步一步走向罪恶的深渊。鲁迅的意思很明白，将罪责推向女人是荒谬的，实质上也是男人无能的表现。

看到一些当官的由于犯罪被推上法庭，又使人想起如何在法制上进一步制约的问题。那个副市长手中有权，可以插手鹰潭市老城区改造工程。对于与钱、利打交道比较多的权力，不能一人随心所欲地支配，而应加以各种监督与限制。篱笆扎得紧，野狗钻不进，就是这个道理。

"女人是祸水"是男人逃避责任的遁辞。如今这个年代再祭起这面陈旧的破旗，未免显得太迂腐可笑了。